P9-DDH-485

まなびやすい

にほんご

JAPANESE

made possible

Volume Ⅱ

Hiroko Takeuchi
assisted by
William Server and **Kathleen Taji**

Bonjinsha Co., Ltd.

Japanese Made Possible, by Hiroko Takeuchi

First Printing: 1982
Second Printing: 1984
Third Printing: 1989

Illustrations: Hiroyuki Bandō

Cover Design: Michiaki Tamura

Published and distributed by The Bonjinsha Co., Ltd.
Kōjimachi New Yahiko Bldg.
6-2 Kōjimachi, Chiyoda-ku, Tokyo 102
Tel. 03-472-2240

Printed in Japan

Preface

Here, at last, is a basic text that can make Japanese possible for you. This doesn't mean that you can put the text under your pillow and wake up the next morning speaking Japanese fluently. It does mean that, if you follow this text, you will be spared numerous false starts as well as a lot of paraphernalia which makes the ordinary Japanese textbook look so burdensome and uninviting to enthusiastic new students.

This course has a solid base in grammar, but does not let it show. Laborious grammatical explanations have been avoided, but the basic patterns are all here. The lessons are short and the objectives clear; the vocabulary is up-to-date and relevant; the stories are interesting and practical.

Romanization, the "false friend" to one who really wants to learn Japanese, is used only to help explain the sounds; the native Japanese orthography (*kana*) is used throughout the text. With this start, there will be no necessity for a time-consuming, boring restart which those who began with a *rōmaji* text had to struggle through.

Noah S. Brannen
Prof. of Linguistics, Languages and Literature
International Christian University

Forward

Japanese is known to be one of the most difficult languages in the world. Perhaps this is because it is so radically different from any other language.

Because of this, it is important that you put aside all your preconceptions connected with your native language in order to learn Japanese with an open mind.

Clarity and simplicity are the characteristics of this book. If you learn the basic structures of the language first, then you can easily increase your vocabulary and understand the differences in nuance between expressions.

The meaning of a word is determined in the context of a sentence and the meaning of a sentence is determined in the context of a story. Therefore, we put all the basic sentence patterns in the context of stories. By putting yourself in these situations you will be able to use the new language naturally.

The thirty-two stories and the corresponding sentence patterns are written in *kana*, the native Japanese alphabet. The pronunciation and written form are shown in the introduction. Please learn this before starting lesson one. Mastering the *kana* will greatly facilitate your progress in learning Japanese.

Students who want to study *kanji* (Chinese characters) may study the lesson re-written in *kanji* at the back of this book. The *kanji* listings given in the word list will be helpful.

Use the tapes for practice even if you have a Japanese native speaker as a tutor. This will help you to understand what the accent marks in the word list mean. The tapes are recorded by professional broadcasters who speak standard Japanese.

The illustrations in this text are also part of the instructional procedure. A visual presentation of the subject matter will help you to put yourself into the actual situation. It will lead you to speak Japanese without going through the process of translation. The direct method of immediate response is the best method for language study.

Do not depend too much on the English equivalents for the basic sentence patterns. They are just keys for understanding. The English translations for the sentence patterns are not completely equivalent in meaning to the Japanese.

The English explanations are written as simply as possible. This part is the result of hundreds of hours of discussions between Japanese language teachers and students. I believe repeating and using the basic sentence patterns are more important than analysing them grammatically, particularly at the beginning of Japanese language study.

I hope that this text will become a good guide for you on your way to mastery of Japanese.

And here, I wish to extend my deepest gratitude and thanks to my distinguished friends who kindly gave me good advice, in particular, Prof. Noah S. Brannen (I.C.U.), Prof. Manuel Amoros (Sophia U.), Prof. Yukiko Sakata (Tōkyō U. of Foreign Studies), Prof. Osamu Mizutani (Nagoya U.) and Prof. Toraya Nishio (Gumma U.).

Hiroko Takeuchi

Contents

Volume I

Volume II

A Guide to the Use of This Text

I Study the *hiragana* in Introduction I.

Practice writing all the *hiragana*.

Close your book and write down what you hear from the tape.

Study the *katakana* in the same way.

II Study the pronunciation of the *kana* using Introduction II with the tape.

Read aloud over the same sections without the tape, paying special attention to accent marks.

Listen to the tape and write down what you hear in *kana*.

Add accent marks.

III Study greetings and useful expressions in Introduction III with the use of the tape.

Memorize them.

Use them whenever you can.

IV Master each lesson from one to thirty-two:

1. Read through the story and the sentence patterns with the help of the word list, the English equivalents and the explanations.
2. Study the lesson orally, using the tape.
3. Memorize all the vocabulary items.
4. Master the sentence patterns.
5. Make your own sentences, following the patterns.
6. Carry on a conversation based on the story.
7. Tell the whole story using the illustration.
8. Do the exercises.

Abbreviations　りゃくご

‾‾‾‾‾‾‾⌉	accent mark	アクセント　マーク
◌	unvoiced vowel	むせいか　ぼいん
n.	noun (including pronouns)	めいし、だいめいし
adj. I	class I adjective	けいようし
adj. II	class II adjective	けいよう　どうし
v.	verb	どうし
v.5	go-dan verb	ごだん　どうし
v.1	ichi-dan verb	いちだん　どうし
v.s.	special verb	へんかく　どうし
adv.	adverb	ふくし
part.	particle	じょし
pref.	prefix	せっとうご
suf.	suffix	せつびご
hon.	honorific	けいご
h.r.	honorific showing respect	そんけいの　けいご
h.h.	honorific showing humility	けんそんの　けいご
lit.	literal translation	ちくごやく

LESSON 15

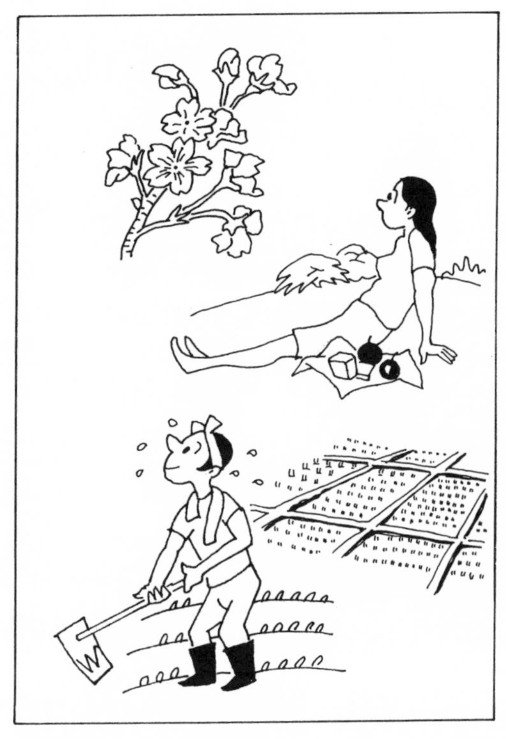

だい　じゅうごか

きせつと　きこう

いちねんには　よっつの　きせつが　あります。
はると　なつと　あきと　ふゆです。
ふゆは　さむくて　はるは　あたたかいです。
なつは　あつくて　あきは　すずしいです。

はるに　なると　さくらの　はなが　さきます。
はなが　さくと　まちの　ひとは　こうがいに　あそびに　いきます。
けれども　のうかの　ひとは　たや　はたけの　しごとで　いそがしく　なります。

ろくがつは　つゆの　きせつです。
つゆに　はいると　そらは　くもって　よく　あめが　ふります。
この　ころは　むしあつくて　たべものが　くさったり　いろいろな　ものに　かびが　はえたり　します。
つゆが　おわると　ひが　てって　あつく　なります。

ぶんけい

1. はるに　なります。（めいし）
   こどもは　おとなに　なります。
   ふゆ　やまは　ゆきで　まっしろに　なります。（けいようどうし）

   こどもたちは　よる　しずかに　なります。
   はる　のうかの　ひとは　いそがしく　なります。（けいようし）
   あき　やまは　うつくしく　なります。

おおぜいの　ひとが　なつ　うみで　およいだり、やまに　のぼったり　します。

くがつは　たいふうの　きせつです。
たいふうが　くると　つよい　かぜが　ふき、はげしい　あめが　ふって、うちが　こわれたり　かわの　みずが　あふれたり　します。
たいふうの　きせつが　すぎると　てんきは　よく　なります。
あきは　すずしくて　いちばん　きこうの　いい　ときです。
けれども　いなかでは　いねの　とりいれで　いちばん　いそがしい　ときです。
ふゆが　ちかづくと　きのはが　いろづいて、やまは　うつくしく　なります。

ふゆに　なると　きたの　ほうでは　ゆきが　ふり、みずうみの　みずが　こおります。
みなみの　ほうでも　たかい　やまは　ゆきで　まっしろに　なります。
ゆきや　こおりは　つめたいです。
けれども　スキーや　スケートの　すきな　ひとに　とって　ふゆは　いちねんで　いちばん　たのしい　きせつです。

Sentence Patterns-English Equivalents

1. Spring is coming. (noun)

   Children become adults.

   In winter the mountains become covered with pure white snow. (lit. become pure white with snow) (adj. II)

   Children become quiet at night.

   People on farms become busy in spring. (adj. I)

   The mountains become beautiful in autumn.

2. はるに　なると　さくらの　はなが　さきます。
   はなが　さくと　まちの　ひとは　こうがいに　あそびに　いきます。
   つゆが　おわると　ひが　てって　あつく　なります。
3. つゆの　ころは　むしあつくて　たべものが　すぐ　くさったり　いろいろな　ものに　かびが　はえたり　します。
   たいふうが　くると　うちが　こわれたり、かわの　みずが　あふれたり　します。
4. たいふうが　くると　つよい　かぜが　ふき、はげしい　あめが　ふります。
   ふゆ　ゆきが　ふり、みずうみの　みずが　こおります。
5. あきは　きこうの　いい　ときです。（けいようし）

   かぜの　つよい　ひに　テニスを　しました。

6. スケートの　すきな　ひとに　とって　ふゆは　たのしい　きせつです。
   （けいようどうし）
   この　しょうがっこうには　えの　じょうずな　せいとが　おおぜい　います。

7. スキーの　すきな　ひとに　とって　ふゆは　たのしい　きせつです。
   にほんごは　わたくしに　とって　むずかしいです。
8. ふゆは　いちねんで　いちばん　たのしい　きせつです。
   この　やまは　にほんで　いちばん　たかいです。
9. ふゆ　やまは　ゆきで　まっしろに　なります。

   まっしろな　やまで　スキーを　します。
10. いろいろな　ものに　かびが　はえます。
    なつ　いろいろな　ところへ　あそびに　いきます。
11. なつは　あついです。
    なつ　うみで　およぎます。
    ふゆは　たのしい　きせつです。
    ふゆ　スキーや　スケートを　します。

2. When spring comes, the cherry blossoms bloom.
   When flowers bloom, people in the city visit the suburbs.
   When the rainy season ends, the sun shines and it becomes hot.
3. During the rainy season it is hot and humid, so food spoils quickly and mold grows on things.
   When a typhoon comes, homes are damaged and rivers overflow.

4. When a typhoon comes, strong winds blow and it rains heavily.
   In winter it snows and the lakes freeze.
5. Autumn has good weather. (lit. Autumn is a time when the weather is good.) (adj. I)
   (We) played tennis on a very windy day. (lit. on a day when the wind was strong.)
6. Winter is an enjoyable season for people who like skating. (adj. II)

   In this primary school, a lot of pupils are good at drawing pictures.
   (lit. In this primary school, there are a lot of pupils who are good at drawing pictures.)
7. Winter is an enjoyable season for people who like skiing.
   Japanese is difficult for me.
8. Winter is the most enjoyable season of the year.
   This mountain is the highest in Japan.
9. In winter the mountains become covered with pure white snow. (lit. become pure white with snow.)
   (We) ski on a pure white mountain.
10. Mold grows on things.
    (We) visit several different places in summer.
11. Summer is hot.
    In summer, (we) swim in the sea.
    Winter is an enjoyable season.
    In winter, (we) ski and skate.

Explanations

1. The verb なる takes a complement with the particle に when it is a noun or a class II adjective (けいようどうし). When the complement is a class I adjective (けいようし), the ending -く is used instead of -い without the particle に.

2. In this case the particle と connects two clauses. と usually signifies an action or a state from which something else follows as a result or a natural consequence. It is often translated as "when" or "if". The verb before と takes the dictionary form even in the past tense.

   The subject of a subordinate clause is usually marked by が.

3. The suffix -たり implies the existence of other actions or states besides the ones mentioned.

   However, -たり doesn't imply any sequence of events while -て indicates a clear sequence.

   Examples:

   のんだり　たべたり　はなしたり　しました。

   (We) drank, ate, talked etc.

   のんで，たべて，はなしました。

   (We) drank, then ate, then talked.

4. The stem of the ます-form of a verb followed by a comma has the same meaning as the verb form followed by the particle て. Therefore, the sentence: のみ，たべ，はなしました, has the same meaning as the sentence, のんで，たべて，はなしました. In conversation the て-form is more often used.

5. In a clause which modifies a noun, the particle が after the subject can be replaced by の.

   きこうが　いい　とき　or　きこうの　いい　とき

   かぜが　つよい　ひ　or　かぜの　つよい　ひ

   (literal translation:
   a time when the weather is good
   a day when the wind is strong)

6. How to construct an adjective clause with a class II adjective (けいようどうし):

   あの　せいとは　えが　じょうずです。

   That pupil is good at drawing pictures.

えが　じょうずな　せいと　or　えの　じょうずな　せいと
the pupil who is good at drawing pictures
あのひとは　スケートが　すきです。
That person likes skating.
スケートが　すきな　ひと　or　スケートの　すきな　ひと
the person who likes skating

Note: The following example has two possible meanings.
こどもが　すきな　ひと　or　こどもの　すきな　ひと
(1) the person who likes children
（あの　ひとは　こどもが　すきです）
(2) the person whom the children like
（こどもは　あの　ひとが　すきです）

7. 〜にとって = 〜に　for 〜 (See lesson 5-13.)

8 (noun) で　いちばん〜 the most 〜 in (noun)

9. The prefix ま means "pure", "really" or "very". It changes a class I adj. to a class II adj.

Examples:	しろい（adj. I）	まっしろ（adj. II）
	くろい	まっくろ
	あかい	まっか
	あおい	まっさお

10. いろいろ appears here as a class II adj. (いろいろの appears in lesson 4. There it is used as a noun.)

11. はる，なつ，あき，ふゆ are basically nouns, but they can be also used as adverbs when they modify predicates without any particle.
The same has also been explained for あさ，ひる，ゆうがた，よる etc. (See lesson 6-6.)

れんしゅう　もんだい　Exercises

A. つぎの　ことばの　あとに　てきとうな　どうしを　かきなさい。

Complete the following sentences with the appropriate verbs.

1. はるに　なると　はなが（　　　）。
2. つゆに　はいると　そらは（　　　）。
3. この　ころは　たべものが（　　　）。
4. いろいろの　ものに　かびが（　　）。
5. つゆが　おわると　ひが（　　　）。
6. なつ　うみで（　　　）。
7. やまに（　　　）。
8. たいふうが　くると　つよい　かぜが（　　　）。
9. はげしい　あめが（　　　）。
10. たいふうで　うちが（　　　）。
11. かわの　みずが（　　　）。
12. ふゆが　ちかづくと　きの　はが（　　　）。
13. ふゆに　なると　みずうみの　みずが（　　　）。

B. つぎの　ことばは　どうし　「なる」の　まえで　どんな　かたちに　なりますか。

How do the following words change form when preceding the verb *naru*.

1. あたたかい　2. あかい　3. あき
4. きれい　5. せんせい

C. つぎの　ぶんの　かっこの　なかの　どうしを　てきとうな　かたちに　しなさい。

Write the correct form of the verbs in the parentheses.

1. ふたりは　えきで　きっぷを（かう）、でんしゃに（のる）、しぶやで（のりかえる）、しんじゅくで（おりる）ました。
2. わたくしたちは　おかしを（たべる）たり　コーヒーを（のむ）だり　うたを（うたう）たり　ピアノを（ひく）たりしました。

D. つぎの　ふたつの　ぶんを　ひとつに　しなさい。

Combine the following two sentences.

〔れい〕　ある　ひとは　スキーや　スケートが　すきです。
その　ひとに　とって　ふゆは　たのしい　きせつです。

→　スキーや　スケートが　すきな　ひとに　とって　ふゆは　たのしい　きせつです。

1. ある　ひとは　コーヒーが　きらいです。
そのひとは　こうちゃを　とって　ください。
（　　　　　　　　　　）。
2. てんきが　いいです。
その　ときに　でかけましょう。
（　　　　　　　　　　）。
3. その　こどもは　おんがくが　だいすきです。
その　こどもと　いっしょに　おんがくを　ききました。
（　　　　　　　　　　）。

LESSON 16

だい　じゅうろっか

しんかんせん

クラークさんは　せんげつの　なかばに　かぞくを　つれて　しずおかに　いきました。
あさ　はやく　うちの　ちかくの　ていりゅうじょから　バスに　のって　とうきょうえきに　でました。
そして　しんかんせんの　まどぐちに　いって　きっぷを　かいました。

クラーク「しずおかまで　『こだま』の　とっきゅうけんと　じょうしゃけんを　ください。」
えきいん「していせきですか。」
クラーク「はい。」
えきいん「なんじの　『こだま』ですか。」
クラーク「はちじ　にじゅっぷんはつに　まにあいますか。」
えきいん「じゅうぶん　まにあいますが、していせきは　うりきれです。」
クラーク「では　じゆうせきを　ください。おとな　にまいと　こども　いちまいです。」

クラークさんの　おとこのこは　ことしから　しょうがっこうです。
ようちえんの　ときは　ただでしたが　いまは　きっぷが　いります。
けれども　こどもの　きっぷは　おとなの　はんがく（はんぶんのねだん）です。
みんな　かいさつぐちを　とおって　なかに　はいりました。
クラークさんは　そこで　えきいんに　たずねました。

クラーク「はちじ　にじゅっぷんはつの　しんおおさかゆきの　『こだま』は　どの　ホームから　でますか。」

えきいん「じゅうろくばんせんからです。その　かいだんを　あがって　ください。」

かいだんを　あがると　れっしゃは　もう　その　ホームに　とまって　いました。
クラークさんたちが　のると　まもなく　とが　しまり、『こだま』は　しずかに　はっしゃしました。
クラークさんは　にほんごの　ほんを　もって　きて　いて、しんかんせんの　なかで　べんきょうしました。

しんかんせんは　とても　はやいです。
とうきょうから　しずおかまで　きゅうこうは　さんじかんぐらい　かかりますが、『こだま』は　いちじかんはんで　つきます。
『ひかり』は　もっと　はやいです。
とうきょうから　おおさかまで　『こだま』は　よじかんはん　かかりますが、『ひかり』は　さんじかん　じゅっぷんで　つきます。
けれども　しずおかには　とまりませんから、しずおかに　いくのには　ふべんです。
ひこうきは　しんかんせんより　はやいです。
けれども　くうこうまで　いくのに　じかんが　かかりますから、しんかんせんの　ほうが　べんりです。

ぶんけい

1. クラークさんは　かぞくを　つれて　しずおかに　いきました。
   おくさんは　こどもを　つれて　かいものに　いきました。
2. クラークさんは　にほんごの　ほんを　もって　きました。
   すずきさんは　きょう　かいしゃに　かばんを　もって　いきませんでした。
3. しょうがっこうの　せいとは　こどもの　きっぷが　いります。
   きっぷを　かうのに　おかねが　いります。
4. くうこうまで　いくのに　じかんが　かかります。
   『ひかり』は　しずおかに　いくのには　ふべんです。
5. しずおかまで　きゅうこうは　さんじかんぐらい　かかります。
   しずおかに　『こだま』は　いちじかんはんで　つきます。
   おおさかまで　『こだま』は　よじかんはん　かかります。
   おおさかに　『ひかり』は　さんじかん　じゅっぷんで　つきます。
6. 『ひかり』は　『こだま』より　はやいです。
   『ひかり』は　もっと　はやいです。
   『ひかり』の　ほうが　はやいです。
   しんかんせんは　ひこうきより　べんりです。
   しんかんせんは　もっと　べんりです。
   しんかんせんの　ほうが　べんりです。

Explanations

1. 2. The compound verbs つれて　いく and もって　いく mean "take", while つれて　くる and もって　くる mean "bring".

   つれて　いく and つれて　くる are used for animate beings (ex. こども, せいと, いぬ etc.). もって　いく and もって　くる are used for inanimate objects (ex. ほん, かばん, えんぴつ etc.).

3. The verb いる meaning "need" is a go-dan verb. The sentence Aは　Bが　いります is usually translated as "A needs B". However, the sentence

Sentence Patterns-English Equivalents

1. Mr. Clark took his family to Shizuoka.

   His wife took her children shopping with her.

2. Mr. Clark brought a Japanese book.

   Mr. Suzuki didn't take his briefcase to the office today.

3. Primary school students need a children's ticket.

   Money is necessary in order to buy a ticket.

4. It takes time to go to the airport.

   A "Hikari" is inconvenient when going to Shizuoka.

5. The express takes about three hours to Shizuoka.

   A "Kodama" arrives at Shizuoka in an hour and a half.

   A "Kodama" takes four and a half hours to Ōsaka.

   A "Hikari" arrives at Ōsaka in three hours and ten minutes.

6. A "Hikari" is faster than a "Kodama".

   A "Hikari" is faster.

   A "Hikari" is faster.

   The "Shinkansen is more convenient than an airplane.

   The "Shinkansen" is more convenient.

   The "Shinkansen" is more convenient.

"B is necessary for A" is more literal.

4. A verb in the dictionary form followed by のに indicates purpose.

5. The two expressions, いちじかん　かかります and いちじかんで　つきます indicate the same thing. When the speaker feels it takes a long time he usually expresses it the first way.

   When he feels the time is rather short, he expresses it the second way.

6. The three most commonly used forms for comparison are shown here.

れんしゅう　もんだい　Exercises

A. ふたつの　めいしを　それぞれ　てきとうな　じゅんじょで　かっこの　なかに　かきこみなさい。

Fill in the parentheses correctly with the two nouns given.

1. おくさん　　ごしゅじん
（　　　　）は（　　　　）を　つれて　きゅうしゅうに　かえりました。
2. ドイツごのほん　　じしょ
（　　　　）を　よむのに（　　　　）が　いります。
3. おとな　　こども
（　　　　）の　きっぷは（　　　　）のはんがくです。
4. わたくし　　おとうと
（　　　　）は（　　　　）を　がっこうへ　つれて　いきました。
5. きゅうこう　　とっきゅう
（　　　　）は（　　　　）より　はやいです。
6. ひこうき　　しんかんせん
しずおかまで（　　　　）より（　　　　）のほうが　べんりです。
7. いちじかんはん　　にじかん
くるまで　いつも（　　　　）かかりますが　きょうは（　　　　）で　つきました。
8. していせき　　じゆうせき
（　　　　）は（　　　　）より　やすいです。

B. テキストの　ストーリーに　したがって　かっこの　なかに　てきとうな　ことばを　いれなさい。

Fill in the parentheses with the appropriate words according to the story in the text.

1. うちの　ちかくの（　　　　）から　バスに　のります。
2. しんかんせんの（　　　　）で　きっぷを　かいます。
3. 「この　とっきゅうの　していせきを　ください。」
「（　　　　）です。　いちまいも　ありません。」
4. ようちえんの　こどもは　きっぷは　いりません。（　　　　）です。
5. みんな（　　　　）を　とおって　なかに　はいりました。
6. クラークさんは　そこで（　　　　）に　たずねました。
7. 「はちじ　にじゅっぷんはつの　しんおおさかゆきの　『こだま』は　どの（　　　　）から　でますか。」
8. 「じゅうろくばんせんからです。その（　　　　）を　あがって　ください。」
9. クラークさんたちが　のると　まもなく　とが　しまり、『こだま』は　しずかに（　　　　）しました。
10. （　　　　）まで　いって　ひこうきに　のります。

LESSON 17

だい　じゅうななか

けんぶつ

きむらさんは　クラークさんの　ともだちで　しずおかに　すんでいます。
クラークさんたちが　しんかんせんで　しずおかに　ついたとき、きむらさんは　えきに　むかえに　きて　いました。
そして　くるまで　いろいろな　ところへ　クラークさんたちを　あんないしました。

はじめに　ゆうめいな　ふるい　じんじゃと　てらを　みてから、まちはずれの　おかの　うえに　のぼりました。
その　おかの　うえからは　しずおかの　まちが　すっかり　みえました。
いい　てんきでしたから、ふじさんも　よく　みえました。
きむらさんは
「おべんとうを　もって　きましたから　けしきを　ながめながら　たべましょう。」
と　いいました。
みんなは　おおよろこびで　そこで　おべんとうを　ごちそうに　なりました。
しずかな　きもちの　いい　ところで、ときどき　めずらしい　とりの　こえが　きこえました。
きむらさんは
「しずおかは　きこうの　いい　ところですから、いろいろな　さんぶつが　あります。なかでも　おちゃや　みかんや　いちごは　ゆうめいです。」
と　せつめいしました。

クラークさんは　きむらさんに
「となりへの　みやげに　おちゃが　ほしいです。いちごも　かいたいです。いい　みせを　おしえて　ください。」
と　たのみました。
おかを　おりてから　きむらさんは　クラークさんたちを　まちの
みせに　あんないしました。
クラークさんたちの　かいものが　すむと　きむらさんは
「のどが　かわきましたね。いちごが　たべたくは　ありませんか。」
と　いいました。
そして　クラークさんたちを　じぶんの　うちへ　つれて　いって
いちごを　ごちそうしました。
とても　おいしくて　しんせんな　いちごでしたから、みんなは　おおよろこびでした。

ゆうがた　クラークさんたちが　かえるとき、きむらさんは　えきまで　おくりに　きました。
クラークさんたちは
「きょうは　とても　たのしい　いちにちでした。ほんとうに　ありがとうございました。」
と (お)れいを　いいました。
きむらさんは
「どうぞ　また　あそびに　きて　ください。」
と　いって　クラークさんたちと　あくしゅを　しました。
しんかんせんが　はっしゃする　とき、クラークさんたちは　まどの
そとの　きむらさんに　おじぎを　しました。
きむらさんは　ホームで　いつまでも　てを　ふって　いました。

ぶんけい

1. クラークさんたちが　しずおかに　ついた　とき、きむらさんは　えきに　むかえに　きて　いました。
   クラークさんたちが　かえる　とき、きむらさんは　えきまで　おくりに　きました。
2. みんなは　おおよろこびで　その　おべんとうを　ごちそうに　なりました。

   こどもは　おおよろこびで　あそびました。
   とても　おいしくて　しんせんな　いちごでしたから、みんなは　おおよろこびでした。
3. クラークさんたちは　きむらさんから　おいしい　おべんとうを　ごちそうに　なりました。
   きむらさんは　クラークさんたちに　おいしくて　しんせんな　いちごを　ごちそうしました。
4. きむらさんは　えきに　クラークさんたちを　むかえに　きて　いました。
   わたくしは　なりたへ　アメリカの　ともだちを　むかえに　いきました。
   クラークさんたちが　かえる　とき、きむらさんは　えきまで　おくりに　きました。
   おとうとは　よこはまへ　せんせいを　おくりに　いきます。
5. おかの　うえから　まちが　すっかり　みえました。
   ふじさんが　よく　みえました。
   ときどき　とりの　こえが　きこえました。

   でんわの　こえが　よく　きこえません。
6. おちゃが　ほしいです。
   わたくしは　コーヒーは　ほしくは　ありません。
7. みかんが（を）　かいたいです。
   いちごが（を）　たべたくは　ありませんか。
8. きむらさんは　ホームで　いつまでも　てを　ふって　いました。
   みんなは　きれいな　けしきを　いつまでも　ながめて　いました。

Sentence Patterns-English Equivalents

1. When the Clarks arrived in Shizuoka, Mr. Kimura was at the station to meet them.
   When the Clarks left, Mr. Kimura came to see them off at the station.

2. Everyone was delighted when they were treated to lunch.
   (lit. Everyone was treated to that lunch to their great delight.)
   The children played happily. (lit. The children played with great delight.)
   Everyone was very happy because the strawberries were very fresh and delicious.
3. The Clarks were treated to a delicious lunch by Mr. Kimura.

   Mr. Kimura treated the Clarks to fresh, delicious strawberries.

4. Mr. Kimura was at the station to meet the Clarks.
   I went to Narita (airport) to meet my American friend.
   When the Clarks left, Mr. Kimura came to see them off at the station.

   (My) younger brother is going to Yokohama to see off (his) teacher.
5. (We) could see the whole city from the top of the hill.
   (We) could see Mt. Fuji clearly.
   Sometimes (we) could hear birds singing. (lit. Sometimes (we) could hear voices of birds.)
   (I) can't hear (her) voice clearly over the telophone.
6. (I) want tea.
   I don't want any coffee.
7. (I) want to buy *mikans.*
   Don't you want to eat strawberries?
8. Mr. Kimura was on the platform waving his hand for a long time.
   Everyone enjoyed the beautiful view for a long time.

9. となりへの　みやげ
とうきょうからの　でんしゃ

Explanations

1. とき is a noun, but here it serves as a connector between two clauses. It functions almost like "when" in English. (See lesson 14-7.)
The verb of the subordinate clause usually takes the plain form.

The plain form of the verb

	affirmative	negative
present	dictionary form	ない- form
past	the stem of the て-form plus -た	the stem of the ない- form plus -なかった

Examples of the verbs:

かく (V.5)	かく	かかない
	かいた	かかなかった
みる (V.1)	みる	みない
	みた	みなかった
くる (V.S)	くる	こない
	きた	こなかった
する (V.S)	する	しない
	した	しなかった

Exception:

ある (V.5)	ある	ない
	あった	なかった

The verb tense of the subordinate clause is automatically determined by the tense of the main clause.

The present form is used in the subordinate clause to indicate that the action of the subordinate clause has not been completed when the action of the main clause takes place.

The past form is used in the subordinate clause to indicate that the action of the subordinate clause has been completed when the action of the main clause takes place.

9. the gift to the neighbor
   the train from Tōkyō

Ex: ちちが　でかける　とき，ともだちが　きました。
When my father *was leaving*, my friend *came*.
ちちが　でかけた　とき，ともだちが　きました。
When my father *had left*, my friend *came*.
ちちが　でかける　とき，でんわします。
When my father *leaves*, (I)'*ll phone* (you).
ちちが　でかけた　とき，でんわします。
After my father *leaves*, (I)'*ll phone* (you).

The subject of the subordinate clause is usually followed by the particle が.

ちちは　でかけます。　　My father is leaving.
ちちが　でかける　とき，　When my father leaves,
クラークさんたちは　しずおかに　つきました。
The Clarks arrived in Shizuoka.
クラークさんたちが　しずおかに　ついた　とき，
When the Clarks arrived in Shizuoka,

2. おおよろこび is a noun which literally means "great joy." It is often used idiomatically.

3. Aは　Bに　Cを　ごちそうする = A treats B to C.
   Bは　Aから　Cを　ごちそうに　なる = B is treated to C by A.

4. Aは　Bを　むかえに　いく = A goes to meet B.
   Aは　Bを　おくりに　いく = A goes to see B off.
   (See lesson 13–5, えいがを　みに　いく)

5. Aは　Bが　みえる is literally translated as "B is seen by A," which means A can see B".
   Aは　Bが　きこえる is literally translated as "B is heard by A", which means "A can hear B".

6. 7. Aは　Bが　ほしい　is usually translated as "A wants B."
   Aは　Bが　～したい is usually translated as "A wants to (do) B."

   But the nuance of ほしい or ～したい is much stronger than that of "want" in English. Therefore it's better to avoid asking a question using ほしい or ～したい, because it sounds rather rude.

   Instead of asking コーヒーがほしいですか or コーヒーが　のみたいですか,　コーヒーが　いいですか or コーヒーを　のみますか is recommended.

   The inflection of ほしい and たい is same as a class I adjective.

ほしいです	のみたいです
ほしくは　ありません	のみたくは　ありません
ほしかったです	のみたかったです
ほしくは　ありませんでした	のみたくは　ありませんでした

Note:

いちごが　たべたくは　ありませんか is an invitation and is not a real negative question. Therefore the answer たべたいです is usually preceded by はい。

8. いつまでも is an idiom which is often used as an adverb meaning "forever" or "for a long time".

9. となりへの modifies the noun, みやげ. の connects となりへ and みやげ.
   In this case, the particle へ cannot be replaced by に. (Never say となりにのみやげ.)

れんしゅう　もんだい　　Exercises

A.「みる、みえる、きく、きこえる」の　なかの　ひとつと　つぎの　ことばを　つかって　ぶんを　つくりなさい。

Make sentences using the verbs, *miru*, *mieru*, *kiku* or *kikoeru* and the following words.

1. スミスさん、まいあさ、ラジオ
2. その　まど、ふじさん、よく
3. わたくしたち、そのまど、きのう、ふじさん
4. わたくしの　うち、でんしゃの　おと
5. あに、いま、テレビ
6. ピアノの　おと、ここまで

B.「いく、くる」の　どちらかと　つぎの　ことばを　つかって　ぶんを　つくりなさい。

Make sentences using the verbs, *iku* or *kuru* and the following words.

1. スミスさん、にほんごを　ならう、ここ
2. わたくし、まどを　あける、そこ
3. ともだち、せつめいする、わたくしの　うち
4. おとうと、ともだちと　およぐ、うみ

C.「ほしい、-たい」の　どちらかと　つぎの　ことばを　つかって　ぶんを　つくりなさい。

Make sentences using *hoshii* or *-tai* and the following words.

1. あたらしい、かばん
2. かばん、くつ、かう
3. すぐ、うち、かえる
4. いっしょに、えいが、みる
5. いま、その　ほん、よむ

D.「きむらさん、クラークさん、いちご」を　つかって「ごちそうに　なる」と　「ごちそうする」の　どうしを　ふくむ　ぶんを　ひとつづつ　つくりなさい。

Make two sentenses using *gochisō ni naru* and *gochisō suru* and the words ***Kimura-san***, *Kurāku-san* and *ichigo.*

E. つぎの　ふたつの　ぶんを　「とき」で　つないで　ひとつに　しなさい。

Combine the following two sentences with *toki.*

1. クラークさんは　えきに　つきました。きむらさんは　そこに　むかえに　きました。　(まえに)
2. わたくしは　おおさかに　いきました。あめが　ふりました。　(その　とき)
3. ちちは　きのうの　あさ　でかけました。あねは　ピアノを　ひきました。　(その　とき)
4. おとうとは　がっこうから　かえりました。おきゃくが　きました。　(まえに)

LESSON 18

だい　じゅうはっか

おおやまさんと　おがわさん

となりの　へやで　おおやまさんと　おがわさんが　はなして　います。
おおやまさんは　たって　いますが、おがわさんは　いすに　こしかけて　います。
おおやまさんは　せが　ひくくて　ふとって　いますが、おがわさんは　せがたかくて　やせて　います。
おおやまさんは　めがねを　かけて　いませんが、おがわさんは　めがねを　かけて　います。
おおやまさんは　よんじゅっさいぐらいで、わかいですが　あたまがはげて　います。おがわさんは　おおやまさんより　すこし　としをとって　いますが、はげて　いません。
おおやまさんは　しまの　ワイシャツと　ちゃいろの　せびろをきて、ちゃいろの　くつを　はいて　います。おがわさんは　グレーの　セーターを　きて、こんの　ズボンを　はいて　います。
おおやまさんは　てに　かばんを　もって　いますが、おがわさんはなにも　もって　いません。
おおやまさんは　よく　ぼうしを　かぶりますが、おがわさんは　めったに　かぶりません。
おおやまさんは　はでな　ネクタイが　すきですが、おがわさんはじみな　ネクタイが　すきです。
おおやまさんは　よく　じょうだんを　いいますが、おがわさんはいつも　まじめです。
ふたりは　ぜんぜん　にて　いませんが、なかの　いい　ともだちで、おなじ　こうじょうで　はたらいて　います。

おおやまさんと　おがわさんの　とくちょうは　にて　いますか、にていませんか。おおやまさんと　おがわさんの　せいしつは　おなじですか、ちがいますか。ふたりの　しゅみは　どうですか。

ぶんけい

1. たくさん　たべると　ふとります。
   たくさん　たべましたから　ふとりました。
   おおやまさんは　ふとって　います。
2. でかけるとき　くつを　はきます。
   おがわさんは　けさ　くろい　くつを　はきました。
   おがわさんは　いま　くろい　くつを　はいて　います。
3. めがねを　かけて　います。
   セーターを　きて　います。
   ズボンを　はいて　います
   ぼうしを　かぶって　います。
4. おおやまさんは　てに　かばんを　もって　います。
   おがわさんは　なにも　もって　いません。
   きむらさんは　みかんやまを　もって　います。
   ちちは　ほんを　たくさん　もって　います。
5. おがわさんは　めったに　ぼうしを　かぶりません。
   おがわさんは　めったに　じょうだんを　いいません。

Explanations

1. ふとって　いる is usually translated as "to be fat". The verb ふとる is translated as "to get fat".
   (See lesson 13-3, こんで　いる "to be crowded", こむ "to get crowded" etc.)

2. The English verb "wear" is translated as はいて　いる here. However the verb はく means "to put on". There are two possible meanings for the sentence くろい　くつを　はいて　います.
   One is "He is wearing black shoes." The other is "He is putting on black shoes".

3. The action of "wearing" is translated in different ways かける，きる，はく or かぶる according to the object following the verb.

Sentence Patterns-English Equivalents

1. If (you) eat a lot, (you'll) get fat.

   (I) got fat because (I) ate a lot.

   Mr. Ōyama is fat.

2. (I) put on (my) shoes when going out.

   Mr. Ogawa put on black shoes this morning.

   Mr. Ogawa is putting on black shoes now.

3. (He) wears glasses.

   (He) wears a sweater.

   (He) wears trousers.

   (He) wears a hat.

4. Mr. Ōyama is carrying a briefcase in his hand.

   Mr. Ogawa is not holding anything.

   Mr. Kimura owns a mikan orchard on a hill.

   My father has a lot of books.

5. Mr. Ogawa seldom wears a hat.

   Mr. Ogawa seldom jokes.

The form "～て いる" sometimes means "wears" and sometimes "is wearing" depending on the situation.

4. もって いる has two meanings: "to be holding" and "to possess".

5. めったに ～ません means "seldom does ～".

れんしゅう　もんだい　Exercises

A. つぎの　ことばの　はんたいの　じょうたいを　しめしなさい。

Write the antonyms for the following phrases.

1. やせて　いる
2. こしかけて　いる
3. としを　とって　いる

B. つぎの　ような　ものを　みに　つける　とき　どんな　ことばで　あらわしますか。じびきの　かたちと　-ているの　かたちの　りょうほうを　かきなさい。

Write the dictionary form and the -て　いる form for the verbs meaning "to wear" with the following nouns.

1. せびろ
2. スリッパ
3. ぼうし
4. くつ
5. めがね
6. ワイシャツ
7. ズボン
8. セーター

C. つぎの　ことばの　はんたいの　いみを　かきなさい。

Make sentences which are opposite in meaning to the following sentences.

1. (えいがかんに)　よく　いきます。
2. (これと　それは)　おなじです。
3. あたまに　けが　たくさん　あります。
4. (その　いろは)　はでです。

LESSON 19

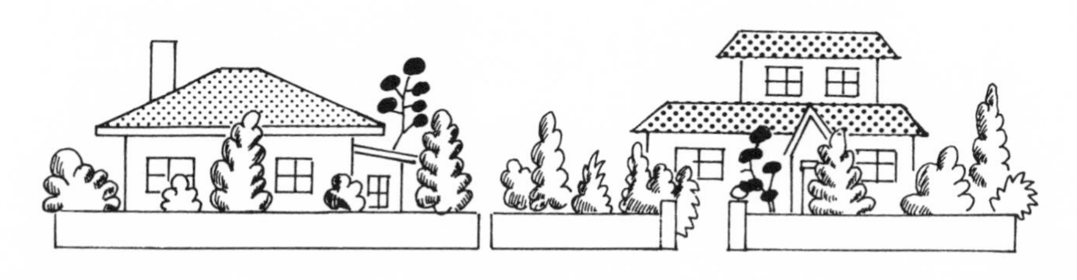

だい　じゅうきゅうか

となりどうし

ジョンソンさんは　わたくしの　うちの　となりに　すんで　いて、わたくしの　かぞくとは　ろくねんまえからの　つきあいです。
ジョンソンさんは　はじめは　にほんごが　できませんでしたが、いまは　なかなか　じょうずに　なりました。
おくさんも　ごしゅじんと　おなじぐらい　じょうずです。

ジョンソンさんの　おじょうさんは　ことし　じゅうろくで、いもうとと　おないどしです。
いもうとと　なかの　いい　ともだちで、よく　うちに　あそびに　きますが、にほんごが　とても　じょうずです。
ごしゅじんも　おくさんも　おじょうさんほど　じょうずに　はなすことは　できません。
ジョンソンさんの　おじょうさんは　ふるい　きってを　たくさん　あつめて　います。
いもうとが　ときどき　にほんの　きってを　あげると　とても　よろこびます。
ジョンソンさんの　おじょうさんは　よく　アメリカの　きってを　いもうとに　くれます。
このあいだ　いもうとは　とても　きれいな　めずらしい　きってを　もらいました。

ジョンソンさんたちは　ねっしんに　にほんごを　べんきょうして　います。
そして　よく　わたくしの　ところへ　むずかしい　かんじの　よみかたを　たずねに　きます。

わたくしは　すぐ　よんで　あげます。
そして　いみも　せつめいして　あげます。
ジョンソンさんは　いつも
「にほんごほど　むずかしい　ことばは　ありません。」
と　いいます。
けれども　わたくしに　とっては　えいごの　ほうが　ずっと　むずかしいです。
わたくしも　ときどき　ジョンソンさんに　えいごの　はつおんや
いみを　たずねます。
ジョンソンさんは　いつも　しんせつに　おしえて　くれます。

ジョンソンさんの　おくさんは　りょうりが　とても　じょうずで、
よく　おいしい　アメリカの　りょうりや　(お)かしを　ごちそう
して　くれます。
ははと　あねは　よく　その　つくりかたを　おしえて　もらいます。
そして　ときどき　にほんりょうりの　つくりかたを　おしえて　あげます。

ジョンソンさんの　おくさんは　いまでは　すきやきや　てんぷらが
じょうずです。
ジョンソンさんたちと　わたくしたちは　おしえあったり　たすけあったり　して　いい　となりどうしです。

ぶんけい

1. はじめは　にほんごが　できませんでした。
   はじめは　にほんりょうりが　きらいでした。
2. いまでは　にほんごが　じょうずに　なりました。
   いまでは　にほんりょうりが　すきに　なりました。
3. おくさんも　ごしゅじんと　おなじぐらい　にほんごが　じょうずです。
   いもうとは　おとうとと　おなじぐらい　ごはんを　たべました。
4. ジョンソンさんの　おじょうさんは　いもうとと　おないどしです。
   やまださんと　わたくしは　おないどしです。
5. よく　うちに　あそびに　きますが、にほんごが　とても　じょうずです。
   この　ほんを　よみましたが、なかなか　おもしろいです。
6. ジョンソンさんたちは　おじょうさんほど　じょうずに　はなす　ことは　できません。
   いもうとも　きってを　あつめて　いますが、ジョンソンさんの　おじょうさんほど　もって　いません。
7. にほんごほど　むずかしい　ことばは　ありません。
   (にほんごは　いちばん　むずかしい　ことばです。)
   しずおかほど　いい　ところは　ありません。
   (しずおかは　いちばん　いい　ところです。)
8. かんじを　よみます。→かんじの　よみかた
   りょうりを　つくります。→りょうりの　つくりかた
9. いもうとは　ジョンソンさんの　おじょうさんに　にほんの　きってを　あげました。
   ジョンソンさんの　おじょうさんは　いもうとに　アメリカの　きってを　くれました。
   いもうとは　ジョンソンさんの　おじょうさんに（から）　アメリカの　きってを　もらいました。
   わたくしは　ははに　ほんを　あげました。
   ははは　わたくしに　セーターを　くれました。
   わたくしは　ははに（から）　セーターを　もらいました。

Sentence Patterns-English Equivalents

1. (He) couldn't speak Japanese in the beginning.
   (He) didn't like Japanese food in the beginning.
2. Now (he) has gotten good at Japanese.
   Now (he) has gotten to like Japanese food.
3. His wife is as good at Japanese as he.
   My (younger) sister ate as much rice as my (younger) brother.
4. The Johnsons' daughter is the same age as my younger sister.
   Mr. Yamada and I are the same age.
5. (She) often visits us and (her) Japanese is very good.
   I have read this book and it's quite interesting.
6. The Johnsons cannot speak Japanese as well as their daughter.

   My (younger) sister also collects stamps, but she doesn't have as many as the Johnsons' daughter.
7. There is no language as difficult as Japanese.
   (Japanese is the most difficult language.)
   There is no place better than Shizuoka.
   (Shizuoka is the best place.)
8. (I) read *kanji*. → how to read *kanji*
   (I) cook. → how to cook
9. My younger sister gave Japanese stamps to the Johnsons' daughter.

   The Johnsons' daughter gave American stamps to my younger sister.

   My younger sister received American stamps from the Johnsons' daughter.

   I gave a book to my mother.
   My mother gave me a sweater.
   I received a sweater from my mother.

10. わたくしは　ジョンソンさんに　かんじの　いみを　せつめいして　あげました。
ジョンソンさんは　わたくしに　えいごの　はつおんを　おしえて　くれました。
わたくしは　ジョンソンさんに（から）　えいごの　はつおんを　おしえて　もらいました。
わたくしは　おとうとに　ほんを　よんで　やりました。
おとうとは　ほんを　わたくしの　へやまで　はこんで　くれました。
わたくしは　おとうとに　ほんを　わたくしの　へやまで　はこんで　もらいました。
11. えいごの　ほうが　ずっと　むずかしいです。
この　ほんは　あの　ほんより　ずっと　おもしろいです。
12. わたくしたちは　おしえあったり　たすけあったり　します。
わたくしたちは　よく　ごちそうしあいます。

Explanations

1. はじめは = in the beginning

2. いま(で)は = now

3. Aは　Bと　おなじくらい　(じょうず)です＝ A is as (good) as B.
Aは　Bと　おなじくらい　(たべ)ました＝ A (ate) as much as B.

4. おないどし is the colloquial word for おなじ　とし (the same age).

5. In this case, が doesn't mean "but". Its meaning more resembles "and" here.

6. Aは　Bほど　(じょうずに)　(はなす)　ことは　できません = A cannot (speak) as (well) as B.
Aは　Bほど　(きってを)　(もって　い)ません＝ A doesn't (have) as many (stamps) as B.

7. Aほど　(べんりな)　ものは　ありません＝ There is nothing as (convenient) as A.

10. I explained the meaning of the *kanji* to Mr. Johnson.

Mr. Johnson taught me English pronunciation.

I was taught English pronunciation by Mr. Johnson.

I read a book to my younger brother.

My younger brother carried the books to my room.

I had my younger brother carry the books to my room

11. English is much more difficult.

This book is far more interesting than that one.

12. We teach and help each other.

We often treat each other (to a meal).

---

8. かんじを(よみ)ます (verb) →かんじのよみかた (noun)

9. The verb "give" is expressed in two ways あげる and くれる in Japanese. When the subject (the person who gives) is the speaker or a person who has a closer relationship to the speaker than the recipient, あげる is used for the verb "give". On the contrary, when the recipient is the speaker or a person who has a closer relationship to the speaker than the subject, くれる is used instead of あげる.

The verb あげる expresses the giver's respect to the recipient, so when the recipient is a child, a younger member of the speaker's family or an animal, the verb やる is used instead of あげる.

Examples:

(1) わたくし → ともだち ····· あげる
(2) ともだち → せんせい ····· あげる
(3) はは → ともだち ····· あげる
(4) わたくし → はは ····· あげる
(5) わたくし → おとうと ····· やる

(6) おとうと → いぬ ····· やる
(7) おとうと → わたくし ····· くれる
(8) ともだち → おとうと ····· くれる

もらう is opposite in action to くれる. It is translated as "receive".

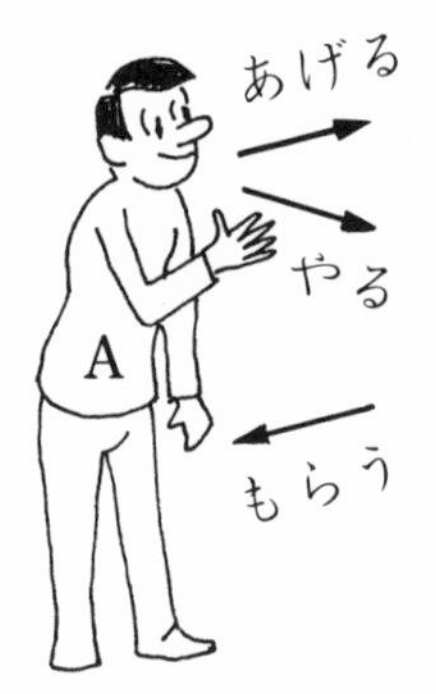

the speaker or a person who has a closer relationship to the speaker

a person who is not as close as "A" to the speaker

10. ～して あげる and ～して くれる mean that a favor is done for someone by doing something.

If A tells B, "AはBに～して あげる", it implies that A expects thanks from B. Therefore, be careful when you address another person using this form, especially for older people or those who should receive respect.

On the other hand, "BはAに～して くれる" expresses the speakers thanks to B and always sounds polite.

～して やる is used for a child, a younger member of the speaker's family or an animal, instead of ～して あげる.

AはBに～して もらう means that A receives a favor from B. It always expresses A's thanks to B and is considered polite.

It's sometimes translated in the passive and sometimes as the causative in English.

Aは Bに (おしえ)て もらう＝ A is (taught) by B.

Aは Bに (ほんを Aの へやに はこん)で もらう＝ A has B (carry the books to A's room).

The passive will be studied further in lesson 28 and the causative in lesson 30.

11. ずっと is an adverb which means "far more".

12. ～しあう means to do something for each other. It expresses reciprocal action.

れんしゅう　もんだい　Exercises

A.「(a)が　(b)に　ほんを　あげました。」と　いう　ぶんで　(a)と　(b)の　かわりに　つぎの　めいしを　いれた　ばあい、「あげました」と　いう　どうしは　てきとうでしょうか。てきとうで　ない　ばあいは　ばんごうを　まるで　かこみ　てきとうな　どうしを　かきなさい。

In the sentence, "(a) *ga* (b) *ni hon o agemashita,*" substitute the following nouns for (a) and (b). Then circle the numbers for the sentences in which "*agemashita*" is not correct and write the correct verb in its place

	(a)	(b)
1.	かない	わたくし
2.	かない	はは
3.	はは	おとうと
4.	ともだち	はは
5.	はは	せんせい

B.「-て　あげる」「-て　くれる」「-て　もらう」を　つかって　せんを　ひいた　ことばを　しゅごに　して　もっと　しぜんな　いいかたに　かえなさい。

Change the following sentences to more natural expressions with the same meaning using *-te ageru*, *-te kureru* and *-te morau*. Use the underlined words as the subject.

1. ちちが　その　いみを　わたくしに　おしえました。
2. (わたくしは　ははに　たのみました。ですから)　はははピアノを　かいました。
3. あには　ともだちの　きっぷも　いっしょに　かいました。
4. ともだちは　おとうとに　えいごを　おしえました。
5. せんせいは　わたくしたちに　ねっしんに　せつめいしました。
6. (わたくしが　たのみましたから)　その　かたは　その　かたの　くにに　ついて　はなしました。

C.「〜は　〜と　おなじぐらい〜」、「〜は　〜ほど　〜ません」、「〜ほど　〜(もの)は　〜ません」の　いいかたの　なかの　ひとつを　つかって、せんを　ひいた　ことばを　ぶんの　しゅごに　して　ぶんを　かきかえなさい。

Rewrite the following without changing the meaning of the original sentence using one of the following three expressions:

1. 〜 *wa* 〜 *to onaji gurai* 〜.
2. 〜 *wa* 〜 *hodo* 〜 *masen*.
3. 〜 *hodo* 〜 *wa* 〜 *masen*.

(Use the underlined word as the subject.)

1. スミスさんは　クラークさんより　わかいです。
2. ちちも　あにも　よく　えいごが　わかります。
3. さくらは　いちばん　きれいな　はなです。
4. おとなも　この　こどもも　たくさん　たべます。
5. りんごは　いちばん　おいしい　くだものです。
6. まちは　いなかより　べんりです。
7. あなたは　いちばん　しんせつな　かたです。
8. てんぷらも　すきやきも　すきです。
9. おがわさんは　おおやまさんより　せがたかいです。

だい　にじゅっか

きゅうな　ようじ

どようびの　ひるごろ　やまださんが　うちに　かえって　くると、げんかんの　とが　しまって　いました。
かぎが　かかって　いて　あきませんでしたから、ベルを　おしましたが、だれも　でて　きません。
しかたが　ありませんから、ポケットから　かぎを　だして　とをあけました。

だいどころに　いくと、ひるごはんの　したくが　できて　いました。
テーブルの　うえには　さらや　ちゃわんが　ならべて　ありました。
そして　かびんの　したに　かみが　おいて　ありました。
その　かみには　おくさんの　じで
「きゅうな　ようじが　できましたから、ゆうびんきょくに　いって　きます。すぐ　かえります。」
と　かいて　ありました。

まもなく　おくさんは　ゆうびんきょくから　かえって　きました。

ぶんけい

1. やまださんが　うちに　かえって　くると、げんかんの　とが　しまって　いました。
   ゆうびんきょくに　いって　きます。

そして　ごしゅじんに　いいました。
「おそく　なって　すみません。でかける　まえに　ひるごはんの
　したくを　して　おきましたから、すぐ　たべましょう。」

ふつうの　てがみを　だす　ときは　ふうとうに　きってを　はって
ポストに　いれます。
ふうとうの　おもてには　あてなを　かきます。
うらには　じぶんの　なまえと　じゅうしょを　かきます。
びんせんや　ふうとうや　えはがきは　ぶんぼうぐやで　うって
ますが、きってや　はがきは　ゆうびんきょくで　かいます。

てがみや　こづつみは　いそぐとき　ゆうびんきょくに　いって　そ
くたつに　します。
たいせつな　ものは　かきとめに　します。
てがみや　こづつみの　りょうきんは　おもさに　よって　ちがいます。
がいこくに　だすときは　きょりに　よっても　ちがいます。
ふなびんは　やすいですが、じかんが　かかります。
こうくうびんは　はやいですが、おかねが　かかります。
ふつうの　ゆうびんきょくは　にちようと　さいじつは　やすみです。
どようは　ひるまでです。

Sentence Patterns-English Equivalents

1. When Mr. Yamada came back home, the front door was closed.

   (I'm) going to the post office.

2. げんかんの　とが　しまって　いました。
   かぎが　かかって　いました。
   ひるごはんの　したくが　できて　いました。
3. テーブルの　うえには　さらが　ならべて　ありました。
   そして　かみが　おいて　ありました。
   「すぐ　かえります。」と　かいて　ありました。
4. げんかんの　とを　しめて　おきました。
   かぎを　かけて　おきました。
   ひるごはんの　したくを　して　おきました。
5. だれも　でて　きません。しかたが　ありませんから、かぎを　だして　とを　あけました。
   ゆうびんきょくは　ひるまでです。しかたが　ありませんから　すぐ　いきました。
6. ひるごはんの　したくが　できました。
   きゅうな　ようじが　できました。
7. てがみは　いそぐとき　そくたつに　します。
   この　こづつみを　かきとめに　して　ください。
8. りょうきんは　おもさに　よって　ちがいます。
   がいこくに　だすときは　きょりに　よっても　ちがいます。

Explanations

1. The verb くる, in the compound verbs, かえって　くる, でて　くる and いって　くる, doesn't have any special meaning. It is used only idiomatically.

   In the following examples, くる has the meaning of "coming back" after the action of the verb in the て-form is completed.

   えいがを　みて　きました。　(I) saw the movie.
   ひるごはんを　たべて　きます。　(I)'ll eat lunch.
   てを　あらって　きましょう。　Let's wash our hands.

   In the examples below, くる has another meaning. It is translated as "begin" or "become" etc.

2. The front door was closed.

   (It) was locked.

   Lunch was ready.

3. The plates were arranged on the table.

   And a note was (there).

   (On it) was written "I'll be back soon."

4. (I) closed the front door.

   (I) locked it.

   (I) prepared lunch.

5. No one answered. So (I) had no choice but to take out the key and open the door.

   The post office was open only until noon. So (I) had no choice but to go there immediately.

6. Lunch is ready.

   Sudden business came up.

7. When it is urgent, (you) send a letter by special delivery.

   Please send this package by registered mail.

8. The fee differs according to the weight.

   When sending something abroad, (it) also differs according to the distance.

あめが　ふって　きました。	It began to rain.
でんしゃは　こんで　きました。	The train has become crowded.
わかって　きました。	(I) came to understand (it).

2. Here しまって　いる expresses a state that results from the action of the verb しまる. It means "is closed", not "is closing".

3. ならべて　ある also expresses a state that results from the action of the verb ならべる. It means "is arranged", not "is arranging".

   Japanese uses two different but related verbs to contrast an intransitive and a transitive action.

Examples: あく，あける　open

とが　あきました。　The door opened.

わたくしは　とを　あけました。　I opened the door.

In the same way, there are corresponding pairs of verbs that contrast the intransitive and the transitive.

Examples:

とが　しまる　わたくしは　とを　しめる

かぎが　かかる　わたくしは　かぎを　かける

さらが　ならぶ　わたくしは　さらを　ならべる

したくが　できる　わたくしは　したくを　する

English equivalents:

The door closes.　I close the door.

(The door) is being locked.　I lock (the door).

The plates are being set.　I set the plates.

Preparations are made.　I make preparations.

Each of these verb pairs can be used to construct a stative sentence, the intransitive using いる and the transitive using ある. Both are translated the same in English.

とが　しまって　いる　とが　しめて　ある　The door is closed.

かぎが　かかって　いる　かぎが　かけて　ある　It's locked.

However, the nuance is slightly different. The form using -て　いる implies a natural state while the form using -て　ある expresses the result of one's own action.

In the stative sentence, ～て　ある, the object of the transitive verb becomes the subject.

さらを　ならべる　さらが　ならべて　ある

かみを　おく　かみが　おいて　ある

4. おく in しめて　おく and かぎを　かけて　おく expresses the act of doing something for some future purpose.

5. In the first sentence of these examples, one would expect the ending -でした. However, in Japanese -でした is not necessary when the action is immediately followed by another action which completes the event.

しかたが　ない literally means "one cannot do anything about it". It is an idiomatic phrase often translated "it cannot be helped".

6. In these examples, できる has a different meaning from "can". It means "is ready" or "something comes up."

7. そくたつに する and かきとめに する are often used in reference to the mail.

8. ～に よって ちがう = (They) differ according to ～.

れんしゅう もんだい Exercises

A. つぎの どうさの けっかの じょうたいを 「-て いる」と 「-て ある」の りょうほうの あらわしかたで あらわしなさい。

Write the *-te iru* and *-te aru* forms for the following sentences.

〔れい〕

「かぎを かける」→(かぎが) かけて ある

かぎが かかる→ かかって いる

1. ちゃわんを ならべる
2. まどを あける
3. とを しめる
4. したくを する

B. つぎの かっこの なかに てきとうな めいしを いれなさい。

Fill in the parentheses with the appropriate nouns.

1. ふうとうの おもてには ( ) を かきます。
2. ふうとうの うらには( )をかきます。
3. びんせんや ふうとうや えはがきは ( )で うって います。
4. きってや はがきは( ) で かいます。
5. てがみや ( )は いそぐとき( )に します。
6. たいせつな ものは( )に します。
7. りょうきんは( )と( ) に よって ちがいます。
8. がいこくに だす とき ( ) は やすいですが おそいです。( )は はやいですが たかいです。
9. ふつうの ゆうびんきょくは にちようと ( ) は やすみです。どようは ( ) までです。

C. テキストの ストーリーに したがって つぎの かっこの なかに てきとうな ことばを いれなさい。

Complete the following sentences according to the story in the text.

1. げんかんの まえで ベルを ( )が、うちの なかからは だれも ( )。
2. ( )から、ポケットから かぎを ( ) とを あけました。
3. かびんの したに かみが( )。
4. おくさんは その かみに 「すぐ かえります。」と( )。
5. 「きゅうな ようじが ( ) から、てがみを だしに ( )。」
6. まもなく おくさんは うちに ( )。
7. そして ごしゅじんに「( ) すみません。でかける まえに ひるごはんの したくを ( ) から、すぐ たべましょう。」と いいました。

LESSON 20

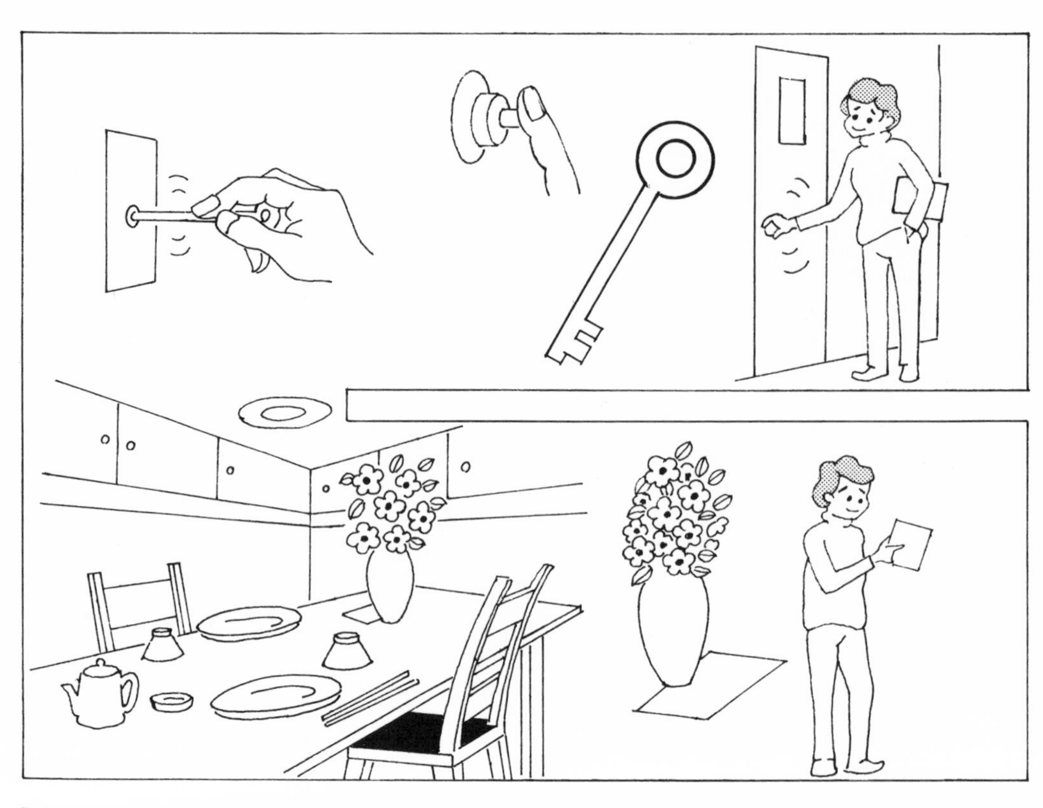

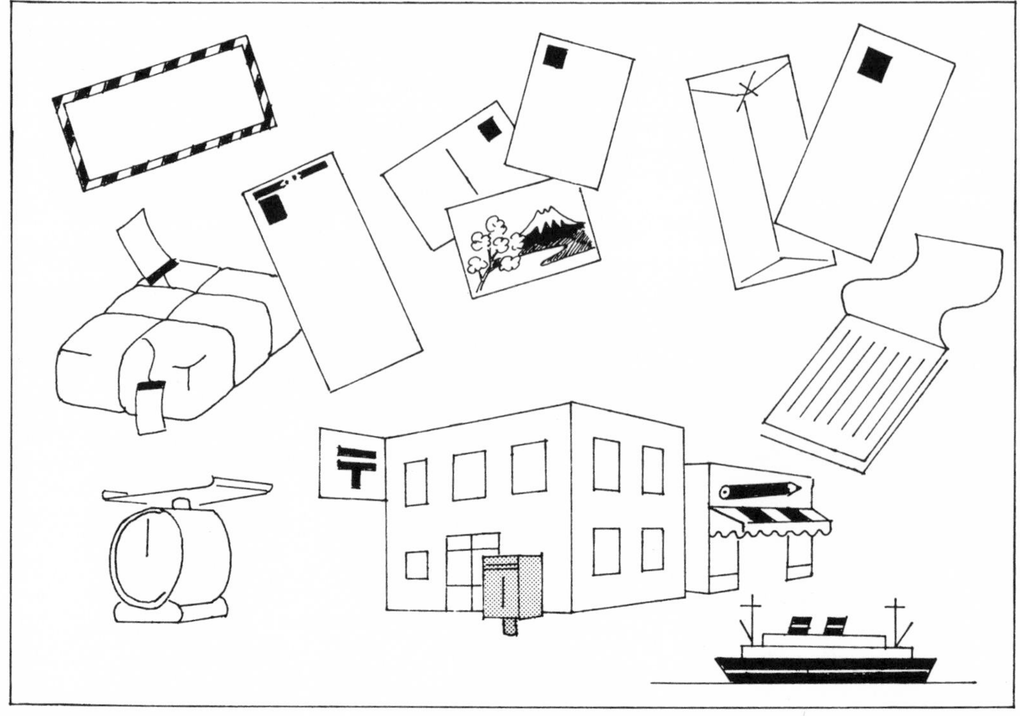

LESSON 21

だい　にじゅういっか

りょこうの　そうだん

あるひ　スミスさんの　ところへ　やまもとくんが　りょこうの　そうだんに　きました。

やまもと「こんどの　しゅうまつに　いっしょに　どこかへ　りょこうしませんか。」

スミス「それは　たのしいでしょう。どこへ　いきましょうか。」

やまもと「スミスさんは　にっこうへ　いった　ことが　ありますか。」

スミス「いいえ、にっこうへは　まだ　いった　ことが　ありません。どんな　ところですか。」

やまもと「やまや　みずうみや　たきが　あって、けしきの　いい　ところです。あきは　とくに　もみじが　きれいです。また　とうしょうぐうと　いう　ゆうめいな　じんじゃも　あります。」

スミス「そうですか。ぜひ　いって　みたいですね。とうきょうから　とおいですか。」

やまもと「いいえ、そんなに　とおくは　ありません。あさくさから　とっきゅうでんしゃで　いちじかん　よんじゅっぷんで　つきます。」

スミス「では、ひがえりが　できますね。」

やまもと「できますけれども、ゆっくり　けんぶつする　ためには　いっぱくする　ほうが　いいと　おもいます。」

スミス「わたくしは　まだ　にほんの　りょかんに　とまった　ことが　ありません。いちど　たたみの　へやで　ふとんに　ねて　みたいです。」

やまもと「では　にほんしきの　りょかんを　よやくしましょう。よ

うしきの　ホテルより　おもしろいでしょう。」

スミス　「もみじには　まだ　はやいかも　しれませんね。」

やまもと「にっこうは　さむい　ところですから、ふゆが　はやく　きます。まいとし　じゅうがつの　はじめから　なかばごろまでが　もみじの　きせつですから、いまが　いちばん　きれいな　ときだと　おもいます。」

スミス　「でんしゃは　こむでしょうね。」

やまもと「ええ、きっと　こむに　ちがい　ありません。　とっきゅうの　していせきを　とって　おきましょう。」

スミス　「こんどの　しゅうまつのは　もしかしたら　ないかも　しれませんね。」

やまもと「きょうは　かようびですから、たぶん　まだ　あるだろうと　おもいます。さっそく　りょこうしゃに　でんわして　みましょう。」

スミス　「よろしく　おねがいします。」

ぶんけい

1. にっこうへ　いった　ことが　ありますか。
　にほんの　りょかんには　とまった　ことが　ありません。
2. あした　あめが　ふるでしょう。
　やまの　うえは　さむいでしょう。
　あの　へやは　しずかでしょう。
　あの　かたは　やまださんでしょう。
3. あした　あめが　ふるかも　しれません。
　やまの　うえは　さむいかも　しれません。
　あの　へやは　しずかかも　しれません。
　あの　かたは　やまださんかも　しれません。
4. あした　あめが　ふるに　ちがい　ありません。
　やまの　うえは　さむいに　ちがい　ありません。
　あの　へやは　しずかに　ちがい　ありません。
　あの　かたは　やまださんに　ちがい　ありません。
5. あした　あめが　ふると　おもいます。
　やまの　うえは　さむいと　おもいます。
　あの　へやは　しずかだと　おもいます。
　あの　かたは　やまださんだと　おもいます。
6. あした　あめが　ふるだろうと　おもいます。
　あした　あめが　ふるかも　しれないと　おもいます。
　あした　あめが　ふるに　ちがい　ないと　おもいます。
7. やまださんは　もしかしたら　くるかも　しれません。
　やまださんは　たぶん　くるでしょう。
　やまださんは　きっと　くるに　ちがい　ありません。
8. ぜひ　その　ほんが　かいたいです。
　ぜひ　きて　ください。
9. ゆっくり　けんぶつする　ためには　いっぱくする　ほうが　いいです。
　とっきゅうでんしゃの　していせきを　よやくする　ために　りょこうしゃに　でんわを　かけました。

Sentence Patterns-English Equivalents

1. Have (you) ever been to Nikkō?

   (I) have never stayed at a Japanese style inn.

2. Maybe it will rain tomorrow.

   Maybe it's cold on top of the mountain.

   Maybe that room is quiet.

   Maybe that person is Mr. Yamada.

3. It might rain tomorrow.

   It might be cold on top of the mountain.

   That room might be quiet.

   That person might be Mr. Yamada.

4. It will rain tomorrow.

   It must be cold on top of the mountain.

   That room must be quiet.

   That person must be Mr. Yamada.

5. I think it will rain tomorrow.

   I think it's cold on top of the mountain.

   I think that room is quiet.

   I think that person is Mr. Yamada.

6. I think maybe it will rain tomorrow.

   I think it might rain tomorrow.

   I think it will rain tomorrow.

7. Perhaps Mr. Yamada will come.

   Mr. Yamada will probably come.

   Mr. Yamada will surely come.

8. (I) want to buy that book by all means.

   Please come by all means. (I beg you to come.)

9. It would be better to stay one night in order to have enough time to see the sights.

   (I) telephoned the tourist bureau in order to reserve a seat on the express.

10. ぜひ いって みたいです。
    さっそく りょこうしゃに でんわして みましょう。
11. ゆっくり けんぶつする ためには いっぱくする ほうが いいです。

    すぐ よやくする ほうが いいです。
12. いいえ、そんなに とおくは ありません。
    にほんしきの りょかんは そんなに ふべんでは ありません。
    そんなに はやく おきません。
    そんなに のみません。

Explanations

1. The past plain form of a verb followed by ことが あります indicates one's own experience.

みた ことが あります	(I) have seen it.
みた ことが ありますか	Have (you) ever seen it?
みた ことが ありません	(I) have never seen it.

2.～6. are various expressions of the presumptive.

2. －でしょう is a common expression indicating probability.

3. －かも しれません also indicates probability although to a lesser degree than でしょう.

4. －に ちがい ありません indicates very strong probability.

5. －と おもいます is equivalent to the English sentence beginning with "I think". The predicate takes the plain form when occurring before the particle と.

	です-ます form	plain form	
verb	ふります	ふる	
adj. I	さむいです	さむい	
adj.II	しずかです	しずかだ	*
noun	やまださんです	やまださんだ	*

10. I want to go (once) by all means.
    I'll try to call the tourist bureau immediately.
11. It would be better to stay one night in order to have enough time to see the sights.
    It would be better to make a reservation immediately.
12. No, (it)'s not so far.
    A Japanese style inn is not so inconvenient.
    (I) don't get up so early.
    (I) don't drink so much.

---

* This だ is not necessary when followed by −でしょう,−かも　しれません or −に　ちがい　ありません.

6. −でしょう，　−かも　しれません and −に　ちがい　ありません take the plain form when occurring before −と　おもいます.

です−ます form	plain form
−でしょう	−だろう
−かも　しれません	−かも　しれない
−に　ちがい　ありません	−に　ちがい　ない

7. Here three adverbs of probability are introduced. Each one expresses a different degree of assurance.

8. ぜひ = by all means

9. 〜する　ために = in order to do (something)

10. 〜して　みる = to try to do (something)

11. 〜する　ほうが　いい = it would be better to

12. そんなに　(とおく)は　ありません　= it's not so (far).
    そんなに　(のみ)ません = (I) don't (drink) so much.

れんしゅう　もんだい　　Exercises

A. テキストの　ストーリーに　したがって　つぎの　しつもんに　こたえなさい。

Answer the following questions according to the story in the text.

1. あるひ　やまもとくんは　スミスさんの　ところへ　なにを　しに　きましたか。
2. やまもとくんは　いつ　いきたいと　いいましたか。
3. にっこうは　どんな　きせつが　とくに　きれいですか。
   それは　なぜですか。
4. とうきょうから　とおいですか。
5. ひがえりが　できますか。
6. スミスさんは　どんな　ところに　とまりたいと　おもいましたか。
7. やまもとくんは　なぜ　どこに　でんわ　しましたか。
8. スミスさんは　やまもとくんに　たのむ　とき　なんと　いいましたか。

B. つぎの　ことがらの　けいけんが　あるか　どうか　たずねなさい。

Make questions which ask about a person's experience of the following.

1. じぶんで　テーブルを　つくる。
2. まえに　ここに　くる
3. しずおかを　けんぶつする
4. ふじさんに　のぼる
5. にほんの　きものを　きる
6. うみで　およぐ

C. つぎの　ぶんを　かっこの　なかの　いいかたで　あらわし，きっと，たぶん，もしかしたら，の　みっつの　ふくしの　なかで　てきとうな　ものを　ぶんの　はじめに　おきなさい。

Rewrite the following sentences using the endings in the parentheses. Use one of the three adverbs, *kitto*, *tabun* or *moshika shitara*, at the beginning of each sentence.

〔れい〕　あした　でかけます（でしょう）
　　→たぶん　あした　でかけるでしょう。

1. だれも　きません（かも　しれません）
2. よろこびます（に　ちがい　ありません）
3. きっぷは　ありません（でしょう）
4. おもしろいです（でしょう）
5. うちに　いません（に　ちがい　ありません）
6. あとで　せつめいします（かも　しれません）
7. むずかしく　ありません（でしょう）
8. ふべんです（に　ちがい　ありません）

LESSON 22

だい　にじゅうにか

にっこうの　はなし

せんしゅうの　しゅうまつに　スミスさんは　やまもとくんと　にっこうへ　いったそうです。
でんしゃは　こんで　いたけれども、とっきゅうの　していせきを　かって　おいたから　らくだったそうです。
てんきも　よかったし　ちょうど　もみじの　きせつだったので　けしきは　すばらしかったそうです。
スミスさんは　なんまいも　しゃしんを　とったそうです。
タクシーで　やまを　のぼる　とき　きゅうな　さかが　おおくて　おどろいたそうです。
みずうみには　ボートが　あったけれども、さむかったから　のらなかったそうです。
きれいな　たきを　いくつも　みたそうです。
はじめの　たきは　おおきくて　りっぱだったそうです。
にばんめのは　いわが　たくさん　あって　とても　きれいだったそ

ぶんけい

1. スミスさんは　やまもとくんと　にっこうへ　いったそうです。
   けしきは　すばらしかったそうです。
   でんしゃは　らくだったそうです。
   ちょうど　もみじの　きせつだったそうです。
   はるやすみには　きょうとに　いくそうです。
   はるの　きょうとは　とても　いいそうです。
   きょうとの　まちは　きれいだそうです。
   ならも　いい　ところだそうです。

うです。
さんばんめのは　やまの　おくに　あって　しずかだったそうです。
りょかんでは　ゆっくり　おんせんに　はいったそうです。
にほんりょうりは　なかなか　おいしかったそうです。
そして　たたみの　へやと　ふとんは　とても　きもちが　よかった
そうです。

つぎの　ひは　とうしょうぐうを　けんぶつしたそうです。
たてものは　きれいだし　ふるい　れきしが　あるので、おもしろか
ったそうです。
スミスさんは　はるやすみには　きょうとに　りょこうしたいそうです。
また　やまもとくんが　いっしょに　いって　あんないして　くれる
そうです。
ふたりは　ならにも　いくかも　しれないそうです。
ならは　やまもとくんの　ふるさとだそうです。
むかしは　しずかな　いい　ところだったけれども、だんだん　じん
こうが　ふえ、かんこうきゃくも　おおく　なって、もう　むかしほ
ど　しずかでは　ないそうです。

Sentence Patterns-English Equivalents

1. I heard that Mr. Smith went to Nikkō with Yamamoto.
   I heard that the scenery was wonderful.
   I heard that the train was comfortable.
   I heard that it was just the time when the trees change color.
   I heard that (they) are going to Kyōto during the spring vacation.
   I heard that Kyōto in spring is very nice.
   I heard that Kyōto is beautiful.
   I heard that Nara is also a nice place.

2. していせきを　かって　おいたから、らくでした。
　さむかったから、ボートには　のりませんでした。
　とても　きれいだったから、しゃしんを　とりました。
　もみじの　きせつだったから、こんで　いました。
　しずかだから、とりの　こえが　きこえます。
　にちようだから、がっこうは　やすみです。
3. していせきを　かって　おいたので、らくでした。
　さむかったので、ボートには　のりませんでした。
　とても　きれいだったので、しゃしんを　とりました。
　もみじの　きせつだったので、こんで　いました。
　しずかなので、とりの　こえが、きこえます。
　にちようなので、がっこうは　やすみです。
4. きゅうな　さかが　おおくて　おどろきました。
　さんばんめのは　やまの　おくに　あって　しずかでした。
5. てんきも　よかったし、ちょうど　もみじの　きせつだったので、けしきは　すばらしかったそうです。
　たてものは　きれいだし、ふるい　れきしが　あるので、おもしろかったそうです。
6. でんしゃは　こんでいたけれども、していせきを　かって　おいたから、らくでした。
　みずうみには　ボートが　あったけれども、のりませんでした。
　ならの　まちは　むかしは　しずかだったけれども、いまは　むかしほどしずかでは　ありません。
　むかしは　いい　ところだったけれども、いまは　むかしほどでは　ありません。
7. スミスさんは　なんまいも　しゃしんを　とったそうです。
　きれいな　たきを　いくつも　みたそうです。

2. (The ride) was comfortable because (we) had bought reserved seats.
   (We) didn't ride on a boat because it was cold.
   (We) took pictures because it was so beautiful.
   It was crowded because it was the time when the trees change color.
   (We) can hear birds singing because it's quiet.
   There is no school because it's Sunday.
3. (The ride) was comfortable because (we) had bought reserved seats.
   (We) didn't ride on a boat because it was cold.
   (We) took pictures because it was so beautiful.
   It was crowded because it was the time when the trees change color.
   (We) can hear birds singing because it's quiet.
   There is no school because it's Sunday.
4. (He) was surprised because there were many steep slopes.
   The third one was quiet because it was in the middle of the mountains.
5. I heard that the scenery was wonderful because the weather was fine and it was just the time when the trees change color.
   I heard that it was interesting because the building was beautiful and had an old history.
6. Although the train was crowded, it was comfortable because (we) had bought reserved seats.
   Although there were boats (for rent) on the lake, (we) didn't ride on one.
   Although Nara was quiet in the past, now it isn't as quiet as before.

   Although it was a nice place in the past, now it isn't as nice as before.

7. I heard that Mr. Smith took a lot of pictures.
   I heard that (they) saw a lot of beautiful waterfalls.

Explanations

1. The plain form followed by －そうです indicates that the speaker is reporting something he heard, the speaker is not giving his own opinion but just giving a report. This sentence form is called the でんぶん form in Japanese, which means "reporting".

The plain forms for the four kinds of predicates are as follows:

		affirmative	negative
verb	present	かく	かかない
	past	かいた	かかなかった
adj. I	present	やさしい	やさしくない
	past	やさしかった	やさしくなかった
adj. II	present	べんりだ	べんりでは ない
	past	べんりだった	べんりでは なかった
noun	present	せいとだ	せいとでは ない
	past	せいとだった	せいとでは なかった

The exceptions:

verb ある	present	ある	ない	(not あらない)
	past	あった	なかった	(not あらなかった)
adj. I いい	present	いい	よくない	(not いくない)
	past	よかった (not いかった)	よくなかった	(not いくなかった)

(The plain form of the verb has been already introduced in lesson 17.)

2. The particle から, following the plain form, means "because". (About the から following the です -ます form, see lesson 9-2.)

3. The particle ので, when following the plain form, also means "because". The nuance of ので is somewhat softer than that of から.

When ので follows a noun or a class II adj. な is used instead of だ.

にちようだから → にちようなので (n.)
べんり だから → べんり なので (adj. II)

4. The て-form of verbs and class I adjectives means in some cases not simply "and" but also "because". After class II adjectives で is used.

Ex. しずかで　よかったです。

It was nice because it was quiet.　or

It was nice and quiet.

5. When there are two or more causes, they are often linked by the particle "し".

6. A sentence in the plain form followed by けれども is expressed in English by the concessive form "although".

The two sentences, みずうみには　ボートが　ありました and けれども　のりませんでした can be expressed in one sentence: みずうみにはボートが　あったけれども，のりませんでした。

The above particles, から，ので，し and けれども may also follow the です・ます form.

7. なんまい，なんぼん and いくつ mean "how many", but when they are followed by the particle も, they mean "a lot of".

れんしゅう　もんだい　Exercises

A. つぎの　ふたつの　ぶんを　「から」で　むすび、おわりに　でんぶんの　いみの　「そうです」を　つけて　ひとつづきの　いみを　もった　ぶんを　つくりなさい。

Combine the following two sentences with *kara* and use the "reporting" form, *sō desu*, at the end.

〔れい〕あめが　ふりました。いきませんでした。

→あめが　ふったから　いかなかったそうです。

1. しずかでした。よく　ねる　ことが　できました。
2. セーターを　きました。さむかったです。
3. つぎの　みせに　はいって　みました。はじめの　みせに　その　ほんは　ありませんでした。
4. かぎは　かかって　いませんでした。すぐ　あきました。
5. しんかんせんは　べんりです。よく　のります。
6. しめました。しめて　ありませんでした。
7. のみませんでした。のみたく　ありませんでした。
8. ほしかったです。ははに　かって　もらいました。
9. おとうとは　よく　わかりました。ともだちは　おしえて　くれました。
10. かんじの　よみかたを　おしえて　あげました。
    ジョンソンさんは　とても　よろこびました。
11. あの　かたは　ドイツじんです。ドイツごを　はなします。

12. おどろきました。きゅうに　バスが　とまりました。
13. その　とき　こどもでした。わかりませんでした。
14. そこは　やかましいです。ここに　きます。
15. さかが　きゅうです。こわいです。

B. うえの　もんだいで　「から」の　かわりに　「ので」を　つかうとき　その　まえの　ことばの　せつぞくの　かたちが　かわる　もの　があります。なんばんが　どう　かわりますか。

Substitute *node* for *kara* in the above sentences, and rewrite only those sentences which change.

C. つぎの　ぶんの　なかから　ふたついじょうの　げんいんを　「し」で　つないで　ならべ、けっかを　みちびきなさい。

Combine the following sentences with ～*shi*, ～*node*, and put the conclusion at the end.

〔れい〕 さむかったです。ボートには　のりませんでした。
じかんも　ありませんでした。
→さむかったし、じかんも　なかったので、ボートには　のりませんでした。

1. おんせんに　はいりました。おもしろかったです。にほんりょうりを　たべました。ふとんに　ねました。
2. いい　ところが　ありました。いい　てんきでした。あまり　さむく　ありませんでした。そとで　おべんとうを　たべました。
3. ならは　わたくしの　ふるさとです。だいすきです。ふるい　れきしが　あります。きれいな　じんじゃや　てらが　おおいです。
4. でんしゃは　こんで　いませんでした。バスも　すいて　いました。あまり　たくさん　あるきませんでした。きゅうな　さかは　ありませんでした。らくでした。
5. すばらしいです。みずうみの　いろは　あおいです。もみじも　きれいです。

D. つぎの　ぶんの　なかの　「たくさん」や　「おおぜい」の　かわりに　「なん～も」の　かたちを　つかいなさい。

Substitute *nan* ～ *mo* in the place of *takusan* or *ōzei.*

1. ほんを　たくさん　かいました。
2. みずが　たくさん　のみたいです。
3. おきゃくが　おおぜい　きます。
4. はこを　たくさん　つくりました。
5. ともだちの　うちに　ねこが　たくさん　います。

LESSON 23

だい　にじゅうさんか

ぎんざでの　かいもの

わたくしは　きのう　ぎんざに　かいものに　いきました。
ちかてつの　ぎんざえきで　おりて、まず　せびろを　かう　ために
デパートに　はいりました。
ちゅうもんの　ふくは　たかいので、きせいふくを　かう　ことに
しました。
きせいふくの　うりばに　いって　みると、いろいろな　せびろが
ならんで　いました。
いろの　いいのが　ありましたが、さわって　みると　きじが　よく
ありませんでした。
きじの　いいのも　ありましたが、いろが　はですぎたり　じみすぎ
たり　しました。
いろも　きじも　きに　いったのが　ありましたが、きて　みると
すんぽうが　ちいさすぎました。
やっと　ちょうど　よさそうなのを　みつけて、それに　きめました。
おかねを　はらうとき、てんいんに
「とどけて　くれますか。」
と　たずねると、てんいんは
「はい、かしこまりました。この　かみに　おなまえと　ごじゅうしょ
　と　でんわばんごうを　どうぞ。」
と　いって　かみと　ボールペンを　わたしました。
わたくしが　その　かみに　かきこんで　おかねを　はらうと、てん
いんは　うけとりを　くれました。
それから　したぎの　うりばに　いって、もめんの　シャツを　にま
いと　ナイロンの　くつしたを　さんぞく　かいました。
あさの　ハンカチも　はんダース　かいました。

とても　いい　がらの　きぬの　ネクタイが　ありましたが、たかすぎたので　かうのを　やめました。
そして　ウールの　むじの　ふだんの　ネクタイを　かいました。
デパートの　そとに　でると、そらは　くもって　いて　いまにも　あめが　ふりそうでした。
いそいで　えきに　いく　とちゅう、ようじを　おもいだして　ほんやに　よりました。
けれども　そこには　わたくしが　さがして　いる　ほんは　なさそうでしたから、もう　いっけん　べつの　ほんやに　いって　みました。
そこで　ほんを　さがして　いる　うちに　あめが　ふりだしました。
やっと　みつけた　ほんを　かって　ほんやを　でましたが、あめは　やみそうも　ありませんでしたから、かさやに　かけこんで　かさを　かう　ことに　しました。
ビニールの　かさは　すぐ　こわれそうでしたから、ナイロンの　じょうぶそうなのを　かいました。
レストランの　まえを　とおると　おいしそうな　りょうりの　においが　しました。
わたくしは　おなかが　すいて　いたのを　おもいだして　レストランに　はいる　ことに　しました。
かいものに　おかねを　つかいすぎたので、やすい　りょうりに　しました。
そして　しょくじを　してから　うちに　かえりました。

ぶんけい

1. ビニールの　かさも　ありましたが、ナイロンのに　しました。
   ちゅうもんの　ふくは　たかいので、きせいふくを　かう　ことに　しました。
2. かいものに　おかねを　つかいすぎました。
   すんぽうが　ちいさすぎました。
   いろが　じみすぎます。
3. やっと　ちょうど　いいのを　みつけました。
   むずかしい　ぶんの　いみが　やっと　わかりました。
4. そこには　わたくしが　さがして　いる　ほんは　なさそうでした。
   (わたくしは　ほんを　さがして　いました。
   そこには　その　ほんは　なさそうでした。)
   わたくしは　てんいんの　くれた　うけとりを　ポケットに　いれました。
   (てんいんは　わたくしに　うけとりを　くれました。
   わたくしは　その　うけとりを　ポケットに　いれました。)
   ちちは　やまださんが　かいた　えを　もらいました。
   (やまださんは　えを　かきました。
   ちちは　その　えを　もらいました。)
5. いまにも　あめが　ふりそうでした。
   その　りょうりは　とても　おいしそうです。
   その　ナイロンの　かさは　じょうぶそうです。
   この　せびろは　ちょうど　よさそうです。
   この　ほんやには　その　ほんは　なさそうです。
   おいしそうな　りょうりが　テーブルの　うえに　ならんで　います。
   じょうぶそうな　かさを　かいました。
   あめは　やみそうも　ありません。
   じゅうじには　つきそうも　ありません。

Sentence Patterns-English Equivalents

1. There were plastic umbrellas, but (I) decided on a nylon one.

   (I) decided to buy a ready-made suit because an tailor made one is expensive.

2. (I) spent too much money on shopping.

   The size was too small.

   The color is too dark.

3. (I) finally found the right one.

   (I) finally understood the meaning of the difficult sentences.

4. They didn't seem to have the book that I was looking for.

   (I was looking for a book.
   They didn't seem to have that book.)

   I put the receipt that the salesclerk gave me in my pocket.

   (The salesclerk gave me a receipt.
   I put that receipt in my pocket.)

   My father received the picture that Mr. Yamada painted.

   (Mr. Yamada painted a picture.
   My father received that picture.)

5. It seemed as if it was going to rain.

   That food looks very delicious.

   That nylon umbrella looks sturdy.

   This suit looks like it just fits (me).

   They don't seem to have that in this bookstore.

   There is delicious-looking food on the table.

   (I) bought a sturdy-looking umbrella.

   It doesn't seem like the rain is going to stop.

   It doesn't seem like (he)'ll be arriving at ten o'clock.

6. わたくしは　その　かみに　なまえと　じゅうしょを　かきこみました。
かさやに　かけこみました。
7. その　ネクタイは　たかすぎたので、かうのを　やめました。
おなかが　すいて　いたのを　おもいだしました。
8. おいしそうな　においが　します。
おおきい　おとが　しました。
9. ほんを　さがして　いる　うちに　あめが　ふりだしました。
しょくじを　して　いる　うちに　あめが　やみました。
10. あめが　ふりだしました。
こどもは　きゅうに　かけだしました。

Explanations

1. ～に　する　＝　～に　きめる = to decide on, to decide to

2. -すぎる, following a verb, means "too much".
-すぎる, following an adjective, means "too".

Examples:

verb	のむ	のみすぎる	drinks too much
adj. I	ながい	ながすぎる	is too long
adj. II	はで	はですぎる	is too bright

When -すぎる follows a verb, it is attached to the stem of the ます-form. When -すぎる follows a class I adj., the -い ending is dropped.

3. やっと means "finally" or "at last". It implies that something is accomplished after a lot of effort.

4. When a relative clause modifies a word in the main clause, the plain form is used for the predicate in the relative clause. Usually the particles が or の are used after the subject of the relative clause.

5. When そうです follows the stem of the ます-form of a verb, it implies that something looks like it is going to occur.
When そうです follows a class I adj. without the -い ending, it means

6. I filled in (my) name and address on that form.

   (I) ran into an umbrella shop.

7. (I) decided not to buy that necktie because it was too expensive.

   (I) remembered that (I) was hungry.

8. (It) smells delicious.

   (I) heard a loud noise.

9. While (I) was looking for the book, it began to rain.

   While (I) was eating, the rain stopped.

10. It began to rain.

    The child suddenly began to run.

"looks" or 'seems".

When そうです is directly attached to a class II adj., it also means "looks" or "seems".

The そうです form explained in this lesson is called the ようたい form in Japanese, which means "appearance".

Note the difference in form and meaning between the ようたい and でんぶん construction. (The でんぶん form was introduced in lesson 22.)

	ようたい Appearance	でんぶん Reporting
verb	あめが ふりそうです	あめが ふる そうです
	It looks like it's going to rain.	I heard it will rain.
	あめが やみそうです	あめが やむ そうです
	It looks the rain is going to stop.	I heard the rain will stop.
adj. I	さむそうです	さむい そうです
	It seems cold.	I heard it is cold.
	おいしそうです	おいしい そうです
	It looks delicious.	I heard it is delicious.
adj. II	じょうぶそうです	じょうぶだ そうです
	(He) looks healthy.	I heard (he) is healthy.
	げんきそうです	げんきだ そうです
	(He) looks fine.	I heard (he) is fine.

ようたい Appearance	でんぶん Reporting

The exceptions:

adj. I	よさそうです It looks good.	いい　そうです I heard it's good.
	なさそうです It seems that there isn't anything.	ない　そうです I heard there isn't anything.

When a ようたい form modifies a noun, な is used in place of です.

このりょうりはおいしそうです → おいしそうなりょうり
This food looks delicious. — the delicious-looking food

このかさはじょうぶそうです → じょうぶそうなかさ
This umbrella looks sturdy. — the sturdy-looking umbrella

The negative form of そうです in the ようたい form:

verb.	ふりそうです	ふりそうでは　ありません
		ふりそうも　ありません
adj. I	おいしそうです	おいしそうでは　ありません
		おいしくは　なさそうです
adj. II	じょうぶそうです	じょうぶそうでは　ありません
		じょうぶでは　なさそうです

Note: There is no negative form for そうです in the でんぶん construction.

6. When －こむ follows the stem of the ます -form of a verb, it means "in".

かきこむ = write in, fill in
かけこむ = run in

7. When the particle の follows the dictionary form of a verb, it becomes a noun and can be used either as a subject or an object.

かうのは　むずかしいです　It is difficult to buy (it).
かうのを　やめました　(I) stopped buying (it).

8. （いい）においが　する = It smells (good).

おとが　する = (I) hear a sound.

9. （たべて）いる　うちに = while (I am) eating

10. When －だす follows the stem of the ます -form of a verb, it means "begin to ～".

あめが　ふりだす = begin to rain　　　かけだす = begin to run

Note:　ひきはじめる = begin to play　　かきおわる = finish writing

れんしゅう　もんだい　Exercises

A. つぎの　しつもんに　たいして　「〜に　する」を　つかって　ふたとおりの　こたえを　かきなさい。

Write two answers for the following questions using 〜 *ni suru.*

1. コーヒーを　のみますか、それとも　こうちゃが　いいですか。
2. この　ふくを　ちゅうもんしますか、それとも　やめますか。
3. あした　ここに　あなたが　きますか、それとも　おとうとさんが　きますか。
4. あなたも　いっしょに　およぎますか。
5. でんわを　かけますか、それとも　てがみを　かきますか。

B. つぎの　ぶんに　「-すぎる」を　いれなさい。

Add *-sugiru* to the following sentences.

1. むずかしいです。
2. きれいです。
3. たくさん　べんきょうします。
4. りっぱです。
5. たくさん　ねます。
6. ひろいです。

C. つぎの　ぶんに　ようたいの　いみの　「-そうです」を　つけなさい。

Add the "appearance" form, *sō desu*, to the following sentences.

1. あしたは　いい　てんきに　なります。
2. おかの　うえは　きもちが　いいです。
3. かぜも　ありません。
4. とても　あたたかいです。
5. むずかしくて　できません。
6. あまり　やすくは　ありません。
7. げんきです。
8. たのしいです。
9. あめは　ふりません。
10. あの　おとこの　ひとは　やまださんでは　ありません。

D. つぎの　ふたつの　ぶんの　うち　ひとつを　もう　ひとつの　もくてきに　して　ひとつの　ぶんを　つくりなさい。

Construct sentences making one of the following two verbs the object of the other verb.

1. やめます。　　はなします。
2. テーブルの　したに　ねこが　います。
   みつけました。
3. あなたは　あのとき　この　うたを　うたって　くれました。
   おもいだします。
4. こどもたちは　あそんで　います。せんせいは　みて　います。
5. やまださんは　ききました。その　こどもは　じょうずに　えいごをはなします。

E. つぎの　ふたつの　ぶんを　「うちに」を　つかって　つなぎなさい。

Combine the following two sentences into one using *uchi ni.*

1. ノートに　せつめいを　かきこんで　いました。
   あめが　ふりだしました。
2. わたくしは　みせに　かけこみました。
   とは　まだ　あいて　いました。
3. こどもは　ねて　いました。
   わたくしは　てがみを　かきおわりました。
4. いもうとは　ピアノを　ひきはじめました。
   わたくしは　コーヒーを　のんで　いました。

LESSON 24

だい　にじゅうよんか

いしゃに　いく

わたくしは　せんしゅうの　きんようびに　かぜを　ひきました。
その　まえの　ひ　あめが　ふるのに　かさを　ささないで　あるいたり　さむいのに　えきで　さんじゅっぷんも　ともだちを　まったり　したからでしょう。
きんようびの　あさ　おきた　とき、のどが　いたかったけれども、たいした　ことは　ないと　おもって　がっこうへ　いきました。
ところが　おしえて　いる　うちに　さむけが　して　きぶんが　わるく　なって　きました。
じゅぎょうが　すんでから　ねつを　はかって　みると、さんじゅうはちど　ごぶも　ありました。
あたまも　いたいし　はきけも　するので、すぐ　いえに　かえることに　しました。
かえりに　うちの　ちかくの　いしゃの　ところに　よって　みてもらうと、いしゃは
「ああ、のどが　まっかですよ。
　これじゃ　くるしいでしょう。
　いま、ちゅうしゃを　して　あげましょう。
　ちゅうしゃを　すれば　らくに　なりますからね。」
と　いって　ちゅうしゃを　して　くれました。
それから　くすりを　くれる　とき　つぎの　ような　ちゅういをしました。
「カプセルの　くすりは　にこずつ　よじかんおきに　のんで　ください。
　これを　のめば、ねつが　さがります。

のどが　いたければ、この　ドロップを　くちに　いれて　ください。
かまないで　なめる　ほうが　いいです。
せきが　でる　ときも、これを　なめれば　とまります。
こんどの　かぜは　おなかにも　きますから、きを　つけて　ください。
しょくよくが　あれば、しょうかの　いい　ものを　たべて　ください。
しょくよくが　あっても、しょうかの　わるい　ものは　たべないでください。
もし　しょくよくが　なければ、この　こなぐすりを　のんで　ください。
しょくよくが　なくても、しんぱいは　いりません。
ねつが　さがれば、しょくよくが　でて　きます。
ねつが　さがっても、にさんにちは　しずかに　ねて　いる　ほうがいいです。」
「はい、わかりました。
あまり　きぶんが　わるかったので、ほかの　びょうきかも　しれないと　おもって　しんぱいしましたが、おかげさまで　あんしんしました。
ただの　かぜなら、すぐ　なおりますね。」
「ただの　かぜでも、だいじに　する　ほうが　いいですよ。
『かぜは　まんびょうの　もと』と　いいますからね。
はやく　なおせば、すぐ　なおりますが、むりを　すれば、なかなか　なおりません。
どうぞ　おだいじに。」
「どうも　ありがとう　ございました。」

《かていぶんの　もんどう》——「ば」と「ても」の　つかいかた——

○ちゅうしゃを　すれば、どう　なりますか。

●らくに　なります。

○カプセルの　くすりを　のめば、どう　なりますか。

●ねつが　さがります。

○のどが　いたければ、どう　しますか。

●ドロップを　くちに　いれます。

○しょくよくが　あれば、なんでも　たべる　ほうが　いいですか。

●いいえ、しょくよくが　あっても、しょうかの　わるい　ものは　たべない　ほうが　いいです。

○ねつが　さがれば　おきて　でかける　ほうが　いいですか。

●いいえ、ねつが　さがっても、にさんにちは　しずかに　ねて　いる　ほうが　いいです。

○ただの　かぜなら、すぐ　なおりますか。

●ただの　かぜでも、むりを　すれば、なかなか　なおりません。

○びょうきが　なおっても、でかけない　ほうが　いいですか。

●びょうきが　なおれば、でかけても　いいです。

ぶんけい

1. あめが　ふって　いるのに　かさを　さして　いません。
   さむいのに　さんじゅっぷんも　えきで　ともだちを　まちました。
2. かさを　ささないで　あるきました。
   てを　あらわないで　ごはんを　たべました。
3. ちゅうしゃを　すれば、らくに　なります。
   この　くすりを　のめば、ねつが　さがります。
4. やすければ、かいましょう。
   しょくよくが　なければ、この　くすりを　のんで　ください。
5. げんきなら、くすりは　いりません。
   ただの　かぜなら、すぐ　なおります。
6. このくすりを　のんでも、ねつは　さがりません。
   ちゅうしゃを　しても、すぐには　なおりません。
7. のどが　いたくても、ドロップは　のみません。
   しょくよくが　なくても、しんぱいは　いりません。
8. おとうとは　げんきでも、はたらきたく　ありません。
   ちちは　びょうきでも、しごとを　やすみません。
9. あの　かたは　なんでも　じょうずです。
   いつでも　きて　ください。
10. この　カプセルの　くすりは　よじかんおきに　のんで　ください。
    わたくしは　いちにちおきに　よこはまの　がっこうへ　いきます。
11. さんじゅっぷんも　えきで　ともだちを　まちました。
    ねつを　はかって　みると、さんじゅうはちど　ごぶも　ありました。
12. あまり　きぶんが　わるかったので、おもい　びょうきかも　しれないと　おもいました。
    あまり　むりを　したので、びょうきに　なりました。
13. なかなか　なおりません。
    なかなか　ねつが　さがりません。

Sentence Patterns-English Equivalents

1. Although it is raining, (he) isn't using an umbrella.
   Although it was cold, (I) waited for a friend thirty minutes at the station.
2. (I) walked without using an umbrella.
   (He) ate dinner without washing (his) hands.
3. If (you) get an injection, (you) will feel better.
   If (you) take this medicine, the fever will subside.
4. If it is cheap, I'll buy it.
   If (you) don't have an appetite, please take this medicine.
5. If (you) are healthy, medicine isn't necessary.
   If it's just a cold, (I)'ll recover soon.
6. Even if (you) take this medicine, the fever won't subside.
   Even if (you) have an injection, (you) won't recover immediately.
7. Even if (my) throat is sore, (I) won't use cough drops.
   Even if (you) don't have an appetite, (you) don't have to worry.
8. Even if my younger brother is healthy, he doesn't want to work.
   Even if my father is sick, he doesn't take off work.
9. That person is good at everything.
   Please come any time.
10. Please take these capsules every four hours.
    I go to school in *Yokohama* every other day.
11. (I) waited for a friend thirty minutes at the station!
    When (I) took (my) temperature, (I) had a fever of 38.5°.
12. (I) was feeling so sick that (I) thought (I) might be seriously ill.

    (I) worked so hard that (I) got sick.
13. (You) will not get well soon.
    The fever won't subside easily.

Explanations

1. The particle のに, when following the plain form of a predicate, means "although".

   Note: のに, "although", contrasts with ので, "because". (See lesson 22-3.)

   あめが　ふって　いるのに　although it is raining

   さむいのに　although it is cold

   When のに follows a class II adj. or a noun, な is used instead of だ.

   げんきだ　→　げんきなのに　although (he) is healthy

   にちようだ→にちようなのに　although it's Sunday

2. In this case ないで means "without".

   やすまないで　はたらきました　(He) worked without taking a rest.

3. 4. 5. How to construct an *if*-clause.

(a) For a verb, the last vowel, "u", of the dictionary form is dropped and "*eba*" is affixed to the stem.

(V.5)	のむ	のめば	if (he) drinks
	かく	かけば	if (he) writes
(V.1)	みる	みれば	if (he) sees
	たべる	たべれば	if (he) eats
(V.S.)	くる	くれば	if (he) comes
	する	すれば	if (he) does

(b) For a class I adjective, the last vowel, い, is dropped and ければ is affixed to the stem.

	やすい	やすければ	if it is cheap
	やかましい	やかましければ	if it is noisy
Note:	<u>い</u>い	<u>よ</u>ければ	if it is good

(c) For a class II adj. or a noun, です or だ is replaced by なら.

adj. II	げんきだ	げんきなら	if (he) is fine
noun	こどもだ	こどもなら	if (he) is a child

The negative form of an *if*-clause

(a)	verb	のまない	のまなければ	if (he) doesn't drink
		みない	みなければ	if (he) doesn't see
		こない	こなければ	if (he) doesn't come

		しない	しなければ	if (he) doesn't do
(b)	adj. I	やすくない	やすくなければ	if it isn't cheap
		よくない	よくなければ	if it isn't good
(c)	adj. II	げんきで　ない	げんきで　なければ	if (he) isn't fine
	noun	こどもで　ない	こどもで　なければ	if (he) isn't a child

Note: The negative form of the verb, ある, is ない, and is classified as a class I adj.

そこに　いすが　あれば	if there is a chair
そこに　いすが　なければ	if there isn't a chair

6. 7. 8. How to construct an *even if*- clause: Put the particle も after the て-form of predicate.

(a)	verb			
	(V.5)	のむ	のんでも	even if (he) drinks
		かく	かいても	even if (he) writes
	(V.1)	みる	みても	even if (he) sees
		たべる	たべても	even if (he) eats
	(V.S.)	くる	きても	even if (he) comes
		する	しても	even if (he) does
(b)	adj. I	やすい	やすくても	even if it is cheap
		いい	よくても	even if it is good
(c)	adj. II	げんきだ	げんきでも	even if (he) is fine
	noun	こどもだ	こどもでも	even if (he) is a child

The negative form of an *even if*-clause

(a)	verb	のまない	のまなくても	even if (he) doesn't drink
		みない	みなくても	even if (he) doesn't see
		こない	こなくても	even if (he) doesn't come
		しない	しなくても	even if (he) doesn't do
(b)	adj. I	やすくない	やすくなくても	even if it isn't cheap
		よくない	よくなくても	even if it isn't good
(c)	adj. II	げんきで　ない	げんきで　なくても	even if (he) isn't fine
	noun	こどもで　ない	こどもで　なくても	even if (he) isn't a child

Note: The negative of あっても is なくても.

そこに　いすが　あっても　even if there is a chair

そこに　いすが　なくても　even if there isn't a chair

Note the difference in meaning between the *if* and the *even if-* conditional.

	condition	result	
(A)	たかければ	かいません.	If it is expensive, I won't buy it.
(B)	たかくても	かいます.	Even if it is expensive, I'll buy it.

In example A, the result, "I won't buy it," is a logical consequence of the condition. The two clauses can be connected by "therefore" (ですから).

In example B, the result, "I'll buy it", is opposite to the expectation of the condition. The two clauses can be connected by "however" (けれども).

9. An interrogative word plus でも means "every" or "any."

なんでも	everything	anything
だれでも	every one	any one
いつでも	whenever	any time
どこでも	everywhere	any place

10. (ななふん)おきに means "every" (seven minutes).

However, いちにちおきに means "every other day".

11. The particle も added after a numeral indicates surprise or emphasis. In the example sentences, 30 minutes was a very long time to wait and 38°5 degrees was a very high fever.

12. あまり, followed byので, means "so ... that ...".

13. The adverb なかなか, used with a negative word, indicates difficulty. This construction is often translated as "not ... easily" or "not ... soon". Note that the sentence, なかなか……しませんでした, is often followed by the sentence, やっと……しました.

Ex. その　とは　なかなか　あきませんでしたが, やっと　あきました。

We could not easily open that door, but finally we could.

(The adverb なかなか in an affirmative sentence appears in lesson 13-13.)

れんしゅう　もんだい　Exercises

A. はじめの　ぶんの　あとに「ので」または「のに」を　おいて　つぎの　ぶんに　つなぎ　ひとつづきの　いみの　とおる　ぶんに　しなさい。

Combine the following two sentences into one by putting *node* or *noni* after the first sentence.

1. その　ぼうしが　きに　いりました。それを　かいました。
2. なかなか　ねつが　さがりません。もういちど　いしゃに　みて　もらいました。
3. ちゅうしゃを　しました。らくに　なりません。
4. この　かばんは　べんりです。ながく　つかって　います。
5. あめは　たいした　ことは　ありません。でかけます。
6. なんども　せつめいして　もらいました。なかなか　わかりません。
7. まだ　さむいです。みずうみで　およぎました。
8. ちいさい　こどもです。おおきい　にもつを　もって　います。
9. その　みせに　その　ほんは　なさそうでした。ほかの　みせに　いきました。
10. その　えいがは　とても　おもしろかったです。
    もう　いちど　みました。

B. はじめの　ぶんの　おわりを　かていの　かたちに　して　つぎの　ぶんに　つなぎ　ひとつづきの　いみの　とおる　ぶんに　しなさい。

Combine the following two sentences into one by changing the first sentence into an "if" or an "even if" clause.

1. りんごが　あります。たべたく　ありません。
2. まどを　あけます。ふじさんが　みえます。
3. むりを　しません。すぐ　なおります。
4. のどが　まっかです。いしゃに　みて　もらう　ほうが　いいでしょう。
5. きぶんが　いいです。にわを　あるきましょう。
6. しょくよくが　ありません。しんぱいしないで　ください。
7. ここに　きます。おしえて　あげます。
8. あまり　たかく　ありません。かいたいです。
9. べんきょうしたいです。やかましい　へやでは　できません。
10. にほんじんでは　ありません。
    にほんごが　じょうずです。

C.「あまり　……ので」を　つかって　つぎの　ふたつの　ぶんを　ひとつづきの　いみの　とおる　ぶんに　しなさい。

Combine the following two sentences into one by using the pattern, *amari* ~ *node.*

1. きっさてんに　はいりました。のどが　かわきました。
2. はやく　いきました。デパートは　まだ　あいて　いませんでした。
3. たくさん　おかしを　たべました。おなかが　いたく　なりました。
4. おとうさんは　ピアノを　かって　やる　ことに　しました。
   こどもは　ねっしんに　たのみます。
5. しずかです。となりの　へやには　だれも　いないと　おもいました。
6. この　ほんは　おもしろいです。よるにじごろまで　よんで　いました。
7. でかけました。てんきが　よかったです。
8. きれいな　はなです。とらないで　ながめて　いました。
9. わかりませんでした。むずかしかったです。
10. ちいさい　じでした。よむ　ことが　できませんでした。

だい　にじゅうごか

こうつうきそく

にほんでは　くるまは　みちの　ひだりがわを　はしり、ひとは　みぎがわを　あるく　ことに　なって　います。
ほどうが　あれば　もちろん　どちらがわを　あるいても　かまいませんが、しゃどうを　あるいては　いけません。
おおきい　こうさてんには　たいてい　しんごうが　あります。
しんごうが　あおなら　こうさてんを　わたっても　いいですが、あかなら　わたっては　いけません。
ひろい　どうろを　わたる　ときは　おうだんほどうか　ほどうきょうを　わたらなければ　なりません。
ほどうきょうが　あれば　しんごうを　またなくても　いいです。
くるまを　うんてんする　ときは　めんきょしょうが　いります。
めんきょを　とる　ためには　こうつうきそくの　しけんを　うけなければ　なりません。
さけを　のんだ　ときや　つかれて　いて　ねむい　とき　うんてんしては　いけません。
よっぱらいうんてんや　いねむりうんてんは　おおきい　じこを　おこします。
スピードを　だしすぎれば　とても　きけんです。
むりに　おいこしたり　きゅうに　まがったり　すれば　あぶないです。
せまい　どうろや　こうつうの　はげしい　どうろに　くるまを　とめれば　じゃまに　なります。
ちゅうしゃじょうに　ちゅうしゃする　ときは　たいてい　りょうきんが　いりますが、むりょうの　ちゅうしゃじょうも　あります。
こうそくどうろは　たいてい　ゆうりょうです。

りょうきんじょで　りょうきんを　はらわなければ　なりません。
こうつうきそくに　いはんすれば　ばっきんを　はらわなければ　なりません。
まいとし　こうつうじこで　おおぜいの　ひとが　しんだり　けがをしたりします。
くるまを　うんてんする　ときは　きそくを　よく　まもり、じゅうぶん　きを　つけて、あんぜんな　うんてんを　しましょう。
としよりや　こどもには　とくに　ちゅういする　ことが　ひつようです。

《きんしと　きょか、ぎむと　にんいの　もんどう》

○にほんでは　じどうしゃは　みちの　みぎがわを　はしっても　いいですか。
●いいえ、みぎがわを　はしっては　いけません。ひだりがわを　はしらなければ　なりません。
○ほどうが　あっても　ひとは　みちの　みぎがわを　あるかなければ　なりませんか。
●いいえ、ほどうが　あれば　どちらがわを　あるいても　かまいません。
○しんごうが　あおでも　こうさてんを　わたっては　いけませんか。
●いいえ、しんごうが　あおなら　こうさてんを　わたっても　いいです。
○ほどうきょうが　あっても　しんごうを　またなければ　なりませんか。
●いいえ、ほどうきょうが　あれば　しんごうを　またなくても　いいです。
○ねむい　とき　うんてんしても　いいですか。
●いいえ、ねむい　とき　うんてんしては　いけません。

○こうさてんに　ちゅうしゃしては　いけませんか。
●はい、こうさてんに　ちゅうしゃしては　いけません。
○ちゅうしゃじょうに　ちゅうしゃしても　いいですか。
●はい、ちゅうしゃしても　いいです。けれども　たいてい　りょうきんを　はらわなければ　なりません。
○こうそくどうろを　とおる　ときは　りょうきんを　はらわなければ　なりませんか。

ぶんけい

1. にほんでは　くるまは　みちの　ひだりがわを　はしる　ことに　なって　います。
   ここに　ちゅうしゃしては　いけない　ことに　なって　います。

   やまださんは　にじに　ここに　くる　ことに　なって　います。
2. ほどうが　あれば　どちらがわを　あるいても　かまいません。
   ＝どちらがわでも　かまいません。
   いつ　あそびに　きても　かまいません。
   ＝いつでも　かまいません。
3. しゃどうを　あるいては　いけません。
   しんごうが　あかなら　こうさてんを　わたっては　いけません。
4. しんごうが　あおなら　こうさてんを　わたっても　いいです。
   ちゅうしゃじょうに　ちゅうしゃしても　いいです。
5. こうそくどうろを　はしる　ときは　たいてい　りょうきんを　はらわなければ　なりません。
   めんきょを　とる　ためには　しけんを　うけなければ　なりません。
6. ほどうきょうが　あれば　しんごうを　またなくても　いいです。
   この　ちゅうしゃじょうに　ちゅうしゃする　ときは　りょうきんを　はらわなくても　いいです。

●はい、たいてい　はらわなければ　なりません。
○くるまを　うんてんしなければ　こうつうきそくを　まもらなくても　いいですか。
●いいえ、くるまを　うんてんしなくても　まもらなければ　なりません。
○としよりや　こどもも　みんな　まもらなければ　なりませんか。
●はい、みんな　まもらなければ　なりません。

Sentence Patterns-English Equivalents

1. In Japan, people drive on the left.
   (lit. As a rule, cars go on the left side in Japan.)
   Parking is not permitted here.
   (lit. It is understood that one must not park here.)
   Mr. Yamada is supposed to come here at two o'clock.
2. If there is a sidewalk, it doesn't matter on which side of the road one walks.
   = Either side is O.K.
   It doesn't matter when you visit us.
   = Any time is O.K.
3. (You) must not walk on the road.
   If the signal is red, (you) must not cross (at the crossing).
4. If the signal is green, (you) may cross (at the crossing).
   (You) may park in the parking lot.
5. (You) must usually pay a toll when (you) go on a highway.

   (You) must take an examination in order to get a license.
6. (You) do not have to wait for the signal if there is a pedestrian bridge.
   (You) do not have to pay a fee when (you) park in this parking lot.

7. くるまを　うんてんする　ときは　めんきょしょうが　ひつようです。
うんてんするとき　こどもには　とくに　ちゅういする　ことが
ひつようです。

Explanations

1. 〜する　ことに　なって　いる = it is the convention that 〜, as a rule, is supposed to

2. かまいません = it doesn't matter

3. 〜しては　いけません　「きんし」 = must not 〜　"prohibition"
   のんでは　いけません　(You) must not drink 〜
   たべては　いけません　(You) must not eat 〜
   もって　きては　いけません　(You) must not bring 〜

4. 〜しても　いいです　「きょか」 = may 〜　"permission"
   のんでも　いいです　(You) may drink 〜
   たべても　いいです　(You) may eat 〜
   もって　きても　いいです　(You) may bring 〜

5. 〜しなければ　なりません　「ぎむ」 = must 〜　"obligation"
   のまなければ　なりません　(You) must drink 〜
   たべなければ　なりません　(You) must eat 〜
   もって　こなければ　なりません　(You) must bring 〜

6. 〜しなくても　いいです　「にんい」 = do not have to 〜　"option"
   のまなくても　いいです　(You) do not have to drink 〜
   たべなくても　いいです　(You) do not have to eat 〜
   もって　こなくても　いいです　(You) do not have to bring 〜

7. 〜が　ひつようです　= 〜 is necessary
   〜する　ことが　ひつようです　= it is necessary to 〜

7. A license is necessary when driving a car.
   It is especially necessary to watch for children when driving.

れんしゅう　もんだい　Exercises

A. つぎの　ぶんから　きんしの　かたちで　しつもんを　つくり、「はい」と　「いいえ」の　りょうほうの　こたえを　かきなさい。

Make questions from the following sentences using the pattern which indicates "prohibition" and write both the affirmative and the negative answers.

1. たばこを　のむ。
2. まどを　あける。
3. じしょを　もって　くる。
4. えんぴつで　かく。
5. えいがを　みに　いく。
6. ここで　しょくじを　する。

B. つぎの　ぶんから　ぎむの　かたちで　しつもんを　つくり、「はい」と　「いいえ」の　りょうほうの　こたえを　かきなさい。

Make questions from the following sentences using the pattern which indicates "obligation" and write both the affirmative and the negative answers.

1. セーターを　きる。
2. あさ　ごじに　おきる。
3. こどもを　つれて　くる。
4. えきまで　おくる。
5. こんばん　しゅくだいを　する。
6. その　ことを　はなす。

C. つぎの　ことがらに　たいして　「かまいません」か　「いけません」の　どちらかを　かきなさい。

Write your opinion using *kamaimasen* or *ikemasen* for the following.

1. ひだりがわの　ほどうを　あるく。
2. しんごうが　あおの　とき　おうだんほどうを　わたる。
3. たたみの　へやに　くつで　はいる。
4. むりょうちゅうしゃじょうに　ただで　くるまを　とめる。
5. さけを　のんで　うんてんする。
6. しんごうが　あかの　ときに　ほどうきょうを　わたる。

D. つぎの　しつもんに　こたえなさい。

Answer the following questions.

1. どんな　うんてんを　する　とき　きけんですか。
2. くるまを　うんてんする　とき　なにが　ひつようですか。
3. どこを　くるまで　はしる　とき　おかねを　はらいますか。
4. こうつうきそくに　いはんすると　どうなりますか。
5. こうつうじこで　どんな　ことが　おこりますか。

LESSON 25

LESSON 26

だい　にじゅうろっか

かぶきへの　しょうたい

きのうは　さいじつで　がっこうは　やすみでしたから、スミスさんは　あさ　はやく　おきて　かまくらの　びじゅつかんに　てんらんかいを　みに　いく　つもりでした。
けれども　まえの　ばん　おそくまで　ほんを　よんで　おきて　いたので、なかなか　めが　さめませんでした。
かおを　あらって　とけいを　みると、もう　くじでしたが、まだねむいので　コーヒーを　のもうと　おもって　だいどころに　いきました。
ところが　きのう　ぜんぶ　つかって　しまったので、コーヒーのかんは　からでした。
しかたが　ないので　コーヒーの　かわりに　こうちゃを　いれました。
そして　パンを　ふたきれ　きって　やいて　バターを　つけて　たべました。
いちごの　ジャムが　たべたかったので、あたらしい　びんを　あけようと　しましたが、ふたが　かたくて　なかなか　あきませんでした。
とうとう　あきらめて、いちごの　ジャムの　かわりに　ママレードを　つけました。
あさごはんを　たべた　ところに　やまもとくんが　やって　きました。

やまもと「やあ、スミスさん、いま　あさごはんを　たべて　いるところですか。」

スミス　「いや、もう　たべて　しまって　これから　でかける　ところです。」

やまもと「えっ、どこへ　でかける　つもりですか。」

スミス　「かまくらへ　てんらんかいを　みに　いこうと　おもって　います。いっしょに　どうですか。」

やまもと「ああ、その　てんらんかいは　ぼくも　みたいです。でも　それは　きょうで　なければ　いけませんか。」

スミス　「いや、きょうで　なくても　かまいません。てんらんかいは　らいしゅうまで　やって　いますから、つぎの　きゅうじつでも　だいじょうぶです。」

やまもと「じゃあ、スミスさん、きょうは　いっしょに　かぶきを　みに　いきませんか。きっぷが　にまい　あるのです。りょうしんが　いく　つもりで　かって　おいたのですが、きゅうに　ようじが　できて　だめに　なったので、ぼくに　くれたのです。」

スミス　「ほんとうですか。じゃあ、きょうは　びじゅつかんに　いく　かわりに　かぶきを　みる　ことに　しましょう。まえから　ぜひ　いちど　みたいと　おもって　いたのです。なんじからですか。」

やまもと「こくりつげきじょうで　じゅういちじからです。すぐ　いけば　まに　あいます。」

スミス　「ふだんの　ようふくの　ままでも　かまいませんか。」

やまもと「かまいませんとも。」

スミス　「じゃあ、この　まま　でかけましょう。あ、あわてて　スリッパを　はいた　まま　でかける　ところでした。くつに　はきかえますから　まって　ください。」

やまもと「あははは、じかんは　まだ　じゅうぶん　ありますよ。」

ぶんけい

1. スミスさんは　てんらんかいを　みに　いく　つもりでした。
   どこへ　でかける　つもりですか。
2. コーヒーを　のもうと　おもって　だいどころに　いきました。
   てんらんかいを　みに　いこうと　おもって　います。
3. あたらしい　ジャムのびんを　あけようと　しました。
   スミスさんは　あわてて　スリッパを　はいたまま　でかけようと　しました。
4. きのう　ぜんぶ　つかって　しまったので　コーヒーの　かんは　から　でした。
   ひるごはんは　もう　たべて　しまいました。
   あの　ラジオは　こわれて　しまいました。
   その　いぬは　どこかへ　いって　しまいました。
5. コーヒーの　かわりに　こうちゃを　のみました。
   いちごの　ジャムの　かわりに　ママレードを　パンに　つけました。
   びじゅつかんに　いく　かわりに　かぶきを　みましょう。
   えいがを　みる　かわりに　ほんを　よみました。
6. とうとう　あきらめました。
   とうとう　みつけました。
7. これから　あさごはんを　たべる　ところです。
   いま　あさごはんを　たべて　いる　ところです。
   あさごはんを　たべた　ところに　やまもとくんが　やって　きました。
   てがみを　かく　ところです。
   てがみを　かいて　いる　ところです。
   てがみを　かいた　ところです。
8. やまもとくんが　やって　きました。
   わたくしが　やって　みましょう。
   てんらんかいは　らいしゅうまで　やって　います。
   その　しごとは　もう　やりました。

Sentence Patterns-English Equivalents

1. Mr. Smith had intended to see an exhibition.

   Where are (you) planning to go?

2. (He) went to the kitchen (lit. intending) to drink coffee.

   (I) am planning to go to see an exhibition.

3. (He) tried to open a new jar of jam.

   Mr. Smith, in his haste, was about to leave in his slippers.

4. The coffee can was empty because (I) used it all up yesterday.

   (I) have already finished lunch.

   That radio is broken.

   That dog has gone somewhere.

5. (He) drank tea instead of coffee.

   (He) put marmalade on the bread instead of strawberry jam.

   Let's see Kabuki instead of going to the art museum.

   (I) read a book instead of watching a movie.

6. (He) finally gave up.

   (He) finally found it.

7. (I) am about to eat breakfast.

   (I) am eating breakfast now.

   Yamamoto came when (I) had just finished eating breakfast.

   (I) am about to write a letter.

   (I) am writing a letter.

   (I) have finished writing a letter.

8. Yamamoto came.

   I'll try it.

   The exhibition will be on until next week.

   (I)'ve already done that job.

9. きっぷは　にまい　あるのです。
   りょうしんが　いく　つもりで　かって　おいたのです。
   きょうの　きっぷなのです。
10. かぶきは　まえから　ぜひ　いちど　みたいと　おもって　いました。
   みかんが　たべたいと　おもいました。
   コーヒーが　ほしいと　おもいました。
11. この　まま　でかけましょう。
   ふだんの　ようふくの　まま　きて　ください。
   くつの　まま　うちの　なかに　はいらないで　ください。
   スリッパを　はいた　まま　でかける　ところ　でした。
   ともだちに　てがみを　かいた　まま　だすのを　わすれて　いました。
12. かまいませんとも。
   だいじょうぶですとも。
13. やあ、スミスさん。
   いや、もう　たべて　しまった　ところです。
   えっ、けがを　したのですか。
   あ、スリッパを　はいた　まま　でかける　ところでした。
   あははは、スリッパの　ままですか。
14. ひときれ、ふたきれ、みきれ、～ときれ、じゅういちきれ、いくきれ
   (ふろくの「かずの　かぞえかた」を　みて　ください。)

Explanations

1. ～する　つもりです = is planning to do ～
   ～しない　つもりです = is not planning to do ～

2. The last form of the five forms of verb inflection is the "intentional form". (The other four forms, the ない-form, the ます-form, the dictionary form and the ば-form, have already been introduced.)

9. (I) have two tickets.

   My parents had bought them planning to go (to Kabuki).

   (They) are tickets for today.

10. (I) have always wanted to see Kabuki at least once.

    (I) wanted to eat a mikan.

    (I) wanted coffee.

11. Let's leave things as they are and go out.

    Please come dressed casually.

    Please don't come into the house with (your) shoes on.

    (He) was about to go out with (his) slippers on.

    (I) wrote a letter to my friend and forgot to mail it.

12. Of course it doesn't matter!

    Of course it's all right!

13. Oh, hello, Mr. Smith!

    No, (I)'ve just finished eating.

    Really? Did (you) get hurt?

    Oh, (I) was about to go out with my slippers on.

    Ha, ha, ha! (Are you going out) with (your) slippers on?

14. one, two, three, ... ten, eleven, how many

    (See Appendix: The Counting System.)

---

	dictionary form	intentional form
(V.5)	かく	かこう
	のむ	のもう
(V.1)	みる	みよう
	あける	あけよう
(V.S.)	くる	こよう
	する	しよう

The intentional form is usually followed by と　おもいます in a です-ます sentence in order to express one's will or intention.

3. The intentional form followed by と　する indicates an action which *is about to* happen.

4. ～して　しまう means:

(a) to finish something completely

つかって　しまう　= use something all up

たべて　しまう　= finish eating

(b) an action which the speaker feels sorry about

こわれて　しまう　= be broken (cannot be used now)

いって　しまう　= has gone away (is not here now)

5. ～の　かわりに = instead of ～

～する　かわりに = instead of doing ～

6. とうとう = finally

やっと is the synonym for とうとう, but it implies success after much effort.

とうとう is used whether the result is good or bad.

7. The construction, verb + ところ, expresses time relations.

～する　ところ indicates an action in the future just before it takes place.

～して　いる　ところ indicates an action which is still continuing.

～した　ところ indicates an action just completed.

8. Here various meanings for the verb やる are introduced. (See lesson 19-9, やる = give.)

やって　くる　=　くる　= come (by walking)

（てんらんかいを）　やって　いる　= (the exhibition) is on

（しごとを）　やる　= do (work)

9. When explaining or excusing something, のです is often used after the plain form of the predicate. (Nouns and class II adjectives are followed by な in the present affirmative when preceding のです.)

10. The expressions, ほしいと　おもいます and ～したいと　おもいます, are more often used in conversation than ほしいです and ～したいです because they have a softer nuance, meaning "I would like to ～".

11. ～まま　～する means "to do something without changing (the condition under which it is done)."

12. The sentence ending particle, とも, emphasizes the speakers confidence.

13. Here, various interjections are introduced.

14. The suffix -きれ is used for things sliced or cut.

れんしゅう　もんだい　Exercises

A. つぎの　ぶんの　(　　)の　なかに　どうしを　てきとうな　ときを　あらわす　かたちで　いれなさい。

Fill in the parentheses with verbs in the appropriate tense.

1. 「あの　ほんは　もう　よんで　しまいましたか。」
「いいえ、いま　(　　)　ところです。」
2. 「いっしょに　さらを　あらいましょうか。」
「いいえ、ぜんぶ　(　　)　ところです。」
3. 「ゆうびんきょくに　いきますから　その　てがみも　だして　きて　あげましょう。」
「ちょっと　まって　ください。いま　あてなを　(　　)　ところです。」
4. 「あさごはんは　すみましたか。」
「ええ、いま　(　　)　ところです。」
5. 「しごとは　もう　おわりましたか。」
「はい、いま　おわって　これから　うちに　(　　)　ところです。」

B. つぎの　(　　)の　なかに　てきとうな　ことばを　いれなさい。

Fill in the parentheses with the appropriate words.

1. (　　)の　かわりに
(　　)を　のみました。
2. (　　)の　かわりに
(　　)が　きました。
3. えいがを　(　　)　かわりに　おんがくを　(　　)ました。
4. とても　つかれて　いたので　しゅくだいを　(　　)　まま　ねました。
5. (　　)の　まま　たたみの　へやに　はいっては　いけません。
6. いそがしくて　この　ほんは
(　　)まま　まだ　よんで　いません。

C. つぎの　(　　)の　なかの　どうしを「〜する　つもりだ」「〜したいと　おもう」「〜しようと　する」の　みっつの　かたちで　かき、その　なかで　その　ぶんの　ことばと　して　ふてきとうな　ものに　×を　つけなさい。

Rewrite the verbs in the parentheses using ～*suru tsumori*, ～*shitai to omou* and *shiyō to suru*, and put an "X" at the beginning of the sentences in which the pattern is not appropriate in meaning.

1. らいねんの　なつ　わたくしは　ヨーロッパに　(いく)。
2. なんども　その　とを　(あける)たが　だめでした。
3. その　ほんを　(もって　くる)たが　わすれました。
4. すぐ　したくを　(する)たが　できませんでした。
5. あした　かまくらの　うみで　(およぐ)。

だい　にじゅうななか

ばらの　いえと　さむらいやしき

クラークさんの　うちは　こうがいの　じゅうたくちに　あります。
たてものは　ようしきで　だんぼうと　れいぼうの　せつびが　あります。
げんかんを　はいると　ひろい　いまが　あって　しょくどうが　つづいて　います。
だいどころは　あかるくて　せいけつで　いつも　きちんと　かたづいて　います。
ガスだいや　ちょうりだいや　ながしは　ステンレスで　できて　いて、ぴかぴか　ひかって　います。
ステンレスは　さびにくくて　ながく　もちます。
クラークさんの　おくさんは　きれいずきなので、やかんや　なべも　よく　みがいて　あります。
とだなには　さらや　ちゃわんが　しまって　あります。
れいぞうこには　たべものが　いれて　あります。
たなには　ちょうみりょうが　たくさん　おいて　あります。
ちょうみりょうは　りょうりの　あじや　かおりを　つけるのに　つかいます。
ふろばばかりで　なく　せんめんじょや　だいどころにも　あつい(お)ゆが　でるので　とても　べんりです。
にかいには　しんしつと　こどもべやが　あります。
そして　にかいにも　てあらいが　あります。
にわには　しばふの　まわりに　かだんが　あって、きせつに　よって　いろいろな　はなが　さきます。
かきねには　ばらが　たくさん　うえて　あって、ばらの　きせつには　にわじゅう　いい　かおりが　します。

クラークさんの　うちは　きんじょの　ひとたちから「ばらの　いえ」と　よばれて　います。

クラークさんの　となりの　うちは　ふるい　やしきで、たてものも　にわも　じゅんにほんしきです。
ざしきには　とこのまが　あって、かけじくが　かけて　あり、おきものが　おいて　あります。
ちがいだなにも　りっぱな　ぬりものや　やきものが　かざって　あります。
えんがわの　ほうに　しょうじが　あり、ちゃのまとの　あいだに　ふすまが　あります。
しょうじや　ふすまは　かみで　できて　いますから　やぶれやすいですが、きれいです。
ちゃのまには　こたつと　ひばちが　あって、いつも　てつびんに　(お)ゆが　しゅんしゅんと　おとを　たてて　わいて　います。
この　うちの　おくさんは　おちゃずきで　よく　おちゃを　のみます。
そして　いつも　きちんと　きものを　きて　おびを　しめ、　しろい　たびを　はいて　います。
でかける　ときは　ぞうりか　げたを　はきます。
このうちは　「さむらいやしき」と　いわれて　います。
くらの　なかには　いまでも　かたなや　やりや　よろいや　かぶとが　ある　そうです。

ぶんけい

1. げんかんを　はいると　ひろい　いまが　あります。
   もんを　はいると　ばらの　かおりが　しました。
   (うちの　なかに　はいると　ばらの　かおりが　しました。)
2. この　うちの　だいどころは　いつも　きちんと　かたづいて　います。
   ながしは　ぴかぴか　ひかって　います。
   てつびんに　ゆが　しゅんしゅんと　おとを　たてて　わいて　います。
3. ながしは　ステンレスで　できて　います。
   しょうじや　ふすまは　かみで　できて　います。
4. てつは　さびやすいですが、ステンレスは　さびにくいです。
   かみは　やぶれやすいですが、かわは　やぶれにくいです。
5. ステンレスは　ながく　もちます。
   じょうぶな　きじは　よく　もちます。
6. クラークさんの　おくさんは　きれいずきです。
   この　うちの　おくさんは　おちゃずきです。
7. ふろばばかりで　なく　だいどころにも　あつい　ゆが　でます。
   いっかいばかりで　なく　にかいにも　てあらいが　あります。
8. しばふの　まわりに　かだんが　あります。
   にわの　まわりに　かきねが　あります。
9. クラークさんの　うちは　きんじょの　ひとたちから　「ばらの　いえ」と　よばれて　います。
   この　うちは　「さむらい　やしき」と　いわれて　います。

Sentence Patterns-English Equivalents

1. When (you) go through the entrance hall, (you) will find a large sitting room.
   When (I) passed through the gate, there was the scent of roses.
   (When (I) entered the house, there was the scent of roses.)
2. The kitchen of this house is always neat and tidy.
   The sink is shiny.
   The water is boiling in the iron kettle.
3. The sink is made of stainless steel.
   Shōji and *fusuma* are made of paper.
4. Iron rusts easily, but stainless steel hardly rusts at all.
   Paper tears easily, but leather is hard to tear.
5. Stainless steel is durable.
   Strong fabric wears well (lasts a long time).
6. Mrs. Clark is tidy.
   The wife of this house loves tea.
7. There is hot running water not only in the bathroom but also in the kitchen.
   There is a toilet not only downstairs but also upstairs.
8. There is a flower bed around the lawn.
   There is a fence around the yard.
9. Mr. Clark's house is called "the house of roses" by his neighbours.

   This house is called "the house of the Samurai".

Explanations

1. The particle を indicates the place where the subject of the sentence passes through, while the particle に indicates the place where the subject enters.

Aは　Bを　はいります　(See lesson 9-12)
A goes through B.

Aは　Bに　はいります　(See lesson 10-6)
A enters B.

2. きちんと・ぴかぴか describe the visual effect of something. しゅんしゅんと is onomatopoeia referring to the sound of boiling water.

3. ～で　できている　= is made of ～.

4. (verb stem of the ます-form) ＋やすい = easy to do something
(verb stem of the ます-form) ＋にくい = hard to do something

5. The verb もつ here means "to be durable" or "to last".

6. The suffix -すき means "a person who loves ～".

7. Aばかりでなく　Bも　= not only A but also B

8. ～の　まわりに = around ～

9. The passive form for verbs (うけみ):

Aは　Bを　～する　→　Bは　Aに(Aから)　～される

Ex. やまもとくんは　スミスさんを　かぶきに　しょうたいしました。
Yamamoto invited Mr. Smith to Kabuki.

→ スミスさんは　やまもとくんから　かぶきに　しょうたいされました。
Mr. Smith was invited to Kabuki by *Yamamoto*.

● How to construct the passive form for verbs:

verb classification	dictionary form	passive form	meaning
(V.5)	かく	かかれる	is written
	よむ	よまれる	is read
(V.1)	あける	あけられる	is opened
	たべる	たべられる	is eaten
(V.S.)	もって　くる	もって　こられる	is brought
	せつめいする	せつめいされる	is explained

Note: The passive form of *go-dan* verbs is formed by adding *-reru* to the verb stem of the ない-form.

The passive form of *ichi-dan* verbs and くる is formed by adding *-rareru* to the verb stem of the ない-form.

The passive form of する is される.

● The inflection of the passive form:

The passive endings, −れる and −られる, inflect the same way as *ichi-dan* verbs.

ない-form	ます-form	dictionary form	ば-form	intentional form
−れ(ない)	−れ(ます)	−れる	−れれ(ば)	−れ(よう)
−られ(ない)	−られ(ます)	−られる	−られれ(ば)	−られ(よう)

Note:

The passive form is not frequently used in Japanese as it is in English. In the following examples, the second sentence is more natural than the first.

(1) でんしゃの　なかで　よく　みられます。
It's often seen in train.

(2) でんしゃの　なかで　よく　みます。
One (can) often see it in train.

(1) しんぶんに　かかれました。
It was written in the newspaper.

(2) しんぶんに　かいて　ありました。
It was written in the newspaper.

れんしゅう　もんだい　　Exercises

A. つぎの　ぶんの　かっこの　なかに　てきとうな　どうしと　「-やすい」　または　「-にくい」を　くみあわせて　かきこみなさい。

Fill in the parentheses with the appropriate verbs using *-yasui* or *-nikui.*

1. この　くつは　かわが　いいので　とても　(　　　　　　)です。
2. この　じしょは　じが　ちいさくて　(　　　　　　)ばかりで　なく　せつめいも　すくなくて　(　　　　　　)です。
3. この　だいどころは　ひろくて　(　　　　　　)ですが、わたくしの　うちの　だいどころは　せまくて　(　　　　　　)です。
4. かみの　ふくろは　かわの　ふくろより　(　　　　　　)て、かみの　はこは　きの　はこより　(　　　　　　)です。
5. きものは　ながめると　きれいですが、きて　みると　(　　　　　　)は　ありませんか。
6. いままで　つかって　いた　なべが　とても　(　　　　　　)たので、おなじ　なべを　かって　きました。

B. つぎの　ぶんの　かっこの　なかに　「を」か　「に」か　「で」を　かきいれなさい。

Fill in the parentheses with the particle *o*, *ni* or *de.*

1. はちじに　うち(　　)　でて　バス(　　)　のりました。
2. とうきょうえき(　　)　バス(　　)　おりて、まどぐち(　　)　きっぷ(　　)　かって、かいさつぐち(　　)　とおって　かいだん(　　)　のぼりました。
3. いりぐち(　　)　はいって　ひだりの　ちいさい　へや(　　)　まって　いて　ください。
4. しちじはん(　　)　がっこう(　　)　ついて、はちじまで　がっこうの　にわ(　　)　あるいて、くじまで　きょうしつ(　　)　ほんを　よんで　いました。

C. つぎの　ぶんを　うけみの　かたちで　かきなさい。

Rewrite the following sentences in the passive form.

1. その　ことを　しんぶんに　かきました。
2. きれいな　はなを　そこに　とどけました。
3. この　いえを　さむらいやしきと　よんで　います。
4. たんじょうびに　その　かたを　しょうたい　しました。
5. その　へやに　おおきい　テーブルを　もって　きました。

D. つぎの　しつもんに　こたえなさい。

Answer the following questions.

1. テーブルは　ふつう　なんで　できて　いますか。
2. どんな　ながしが　ながく　もちますか。
3. ちょうみりょうは　なにを　するのに　つかいますか。
4. 「きれいずきな　ひと」と　いうのは　どんな　ひとですか。
5. くつを　よく　みがけば　どう　なりますか。
6. ゆが　わく　とき　どんな　おとを　たてますか。
7. ふつう　いえの　まわりに　なにが　ありますか。
8. とこのまや　ちがいだなには　ふつう　なにが　かざって　ありますか。
9. じゅんにほんしきの　うちの　ちゃのまには　どんな　だんぼうが　ありますか。
10. あなたの　うちの　かだんには　なにが　うえて　ありますか。

LESSON 27

だい　にじゅうはっか

どろぼうの　はなし

この　あいだ　やまださんの　うちに　どろぼうが　はいりました。
その　ひは　おくさんも　ごしゅじんも　いっしょに　でかけて　いて　るすでした。
ゆうがた　やまださんたちが　かえって　きて　みると　うちの　ようすが　へんでした。
しんしつの　まどは　しまって　いる　はずでしたが　あいて　いました。
そして　ガラスが　こわれて　いました。
げんかんの　とも　かぎが　かかって　いる　はずでしたが　あいていました。
ゆかも　そうじしたばかりで　きれいな　はずでしたが　どろで　よごれて　いました。
「たいへんだ。どろぼうだ。」
やまださんは　あわてて　けいさつに　でんわを　しました。
まもなく　おまわりさんが　きて　うちの　あちらこちらを　しらべました。
どろぼうは　しんしつの　まどガラスを　こわして　はいり、げんかんの　かぎを　なかから　あけて　でて　いった　ようです。
とだなや　たんすの　ひきだしを　あけて　さがしたらしいですが　げんきんが　なかったので　なにも　ぬすまなかった　ようです。
ほうせきや　ぎんこうの　つうちょうや　いんかんは　そのまま　ぶじでした。

けっきょく　やまださんたちは　どろぼうに　はいられましたが、まどガラスを　わられ、ゆかを　よごされただけで　なにも　ぬすまれませんでした。
けれども　ひきだしを　あけられたり、なかの　ものを　さわられたり、うちの　なかを　くつの　まま　あるかれたり　したので、いやなきもちでした。
やまださんたちは　これからは　どろぼうに　はいられない　ようによく　きを　つけようと　おもいました。

ぶんけい

1. しんしつの　まどは　しまって　いる　はずでしたが、あいて　いました。
   ゆかも　きれいな　はずでしたが　どろで　よごれて　いました。
   いま　けいさつに　でんわを　しましたから　まもなく　おまわりさんが
   くる　はずです。
2. その　へやは　そうじしたばかりです。
   この　ほんは　きょう　かって　きたばかりです。
3. たいへんだ。どろぼうだ。
   ああ、よかった。なにも　ぬすまれて　いない。
4. どろぼうは　げんかんから　でて　いった　ようです。
   どろぼうは　なにも　ぬすまなかった　ようです。
   こどもは　こどもどうしで　あそぶ　ほうが　たのしい　ようです。
   きむらさんから　きのう　てがみを　もらいましたが、かぞくも　みんな
   げんきな　ようです。
   あの　みせの　まえに　たって　いる　かたは　おがわさんの　ようです。
5. どろぼうは　げんかんから　でて　いったらしいです。
   どろぼうは　なにも　ぬすまなかったらしいです。
   こどもは　こどもどうしで　あそぶ　ほうが　たのしいらしいです。
   きむらさんから　きのう　てがみを　もらいましたが、かぞくも　みんな
   げんきらしいです。
   あの　みせの　まえに　たって　いる　かたは　おがわさんらしいです。
6. やまださんたちは　これからは　どろぼうに　はいられない　ように　よく
   きを　つけようと　おもいました。
   あかちゃんが　めを　さまさない　ように　しずかに　あるいて　ください。
7. やまださんたちは　どろぼうに　はいられました。
   やまださんたちは　どろぼうに　まどガラスを　わられました。
   おとうとは　いぬに　てを　かまれました。
   わたくしは　かえりに　あめに　ふられました。
   おばあさんは　むすこに　しなれて　びょうきに　なって　しまいました。

Sentence Patterns-English Equivalents

1. The bedroom window should have been closed, but it was open.
   The floor should have been clean, but it was muddy.
   (I) have just telephoned the police so they should be coming here soon.

2. (I)'ve just cleaned that room.
   (I)'ve just bought this book today.
3. Oh, heavens! It's a thief!
   Thank God! Nothing's been stolen.
4. It seems that the thief went out through the entrance hall.
   It seems that the thief stole nothing.
   It seems that children enjoy themselves more when they play with each other.
   (I) received a letter from Mr. Kimura yesterday and it seems that his family is also fine.
   The man standing in front of that shop seems to be Mr. Ogawa.
5. It seems that the thief went out through the entrance hall.
   It seems that the thief stole nothing.
   It seems that children enjoy themselves more when they play with each other.
   (I) received a letter from Mr. Kimura yesterday and it seems that his family is also fine.
   The man standing in front of that shop seems to be Mr. Ogawa.
6. The Yamadas thought they had to be more careful from that time on in order not to be robbed.
   Please walk quietly so that the baby will not wake up.
7. The Yamadas' house was broken into by a thief.
   The Yamadas' window was broken by the thief.
   My younger brother was bitten on the hand by a dog.
   I was caught in the rain on my way home.
   The old woman became sick because her son died.

Explanations

1. 〜はずです = is supposed to 〜, should

This expression is based upon the speaker's expectation, for which he has a definite reason in mind.

はず is classified as a noun, so it follows the plain form of the predicate. A class II adj. takes the ending な and a noun takes the particle の before はず in the present affirmative.

Examples:

verb	Aは　くる　はずです	A is supposed to come.
	Bは　こない　はずです	B is not supposed to come.
	Cは　きた　はずです	C is supposed to have come.
	Dは　こなかった　はずです	D is not supposed to have come.
adj. I	さむい　はずです	It must be cold.
	さむくない　はずです	It shouldn't be cold.
	さむかった　はずです	It must have been cold.
	さむくなかった　はずです	It must not have been cold.
adj. II	きれいな　はずです	It should be clean.
	きれいでは　ない　はずです	It shouldn't be clean.
	きれいだった　はずです	It should have been clean.
	きれいでは　なかった　はずです	It shouldn't have been clean.
n.	15にちは　にちようの　はずです	The 15th is supposed to be Sunday.
	16にちは　にちようでは　ない　はずです	The 16th is not supposed to be Sunday.
	15にちは　にちようだった　はずです	The 15th should have been Sunday.
	16にちは　にちようでは　なかった　はずです	The 16th shouldn't have been Sunday.

2. 〜した　ばかりです　= have just done

うまれた　ばかりの　あかちゃん	a baby that has just been born.
つくった　ばかりの　ようふく	a dress that has just been made.

3. The plain form is usually just a part of a です－ます sentence. But when it functions as an interjection, it ends the sentence.

4. ～ようです = it seems that ～

This expression indicates the speaker's feeling or opinion about something. よう, like はず, also follows the plain form of the predicate, and in the present affirmative it is preceded by the ending な after a class II adj. and by the particle の after a noun.

その　テーブルは　きれいな　ようです　That table seems to be clean.

あの　かたは　やまださんの　ようです　That person seems to be Mr. Yamada.

5. ～らしいです = it seems that ～

らしいです means almost the same thing as ～ようです. However, it relates more to actual observation than in the case of よう. らしい, like はず and よう also follows the plain form of the predicate. However, in the present affirmative, it is directly attached to a class II adj. without the ending な and to a noun without the particle の.

あの　テーブルは　きれいらしいです　That table seems to be clean.

あの　かたは　やまださんらしいです。　That person seems to be Mr. Yamada.

6. ～しない　ように = in order not to ～

7. The usage of the passive form:

(a) The ordinary passive (already introduced in lesson 27).

この　うちは　さむらいやしきと　いわれて　います。

This house is called "the house of the Samurai."

(b) The adversity passive

This expresses the unpleasant effect of an event upon the subject of the sentence.

Note: Even an intransitive verb can be used in the passive form in order to express the unpleasant feeling on the part of the subject.

Ex. きゅうに　きゃくが　きたので　しゅくだいが　できませんでした。

I could not do my homework because a guest came unexpectedly.

→きゅうに　きゃくに　こられたので　しゅくだいが　できませんでした。

I could not do my homework because a guest came unexpectedly.

The following is the pattern of the adversity passive.

Aが　Bの　Cを　～する　→　Bは　Aに　Cを　～される

Ex. ねこが　こどもの　おかしを　たべて　しまいました。

A cat ate the child's cookies.

→こどもは　ねこに　おかしを　たべられて　しまいました。

The child was very sad because a cat had eaten his cookies.

Notes on the connective function of だ

The four kinds of predicates take the plain form when they are followed by the sentence endings below. However, note that in some cases a class II adjective or a noun is not followed by だ, and sometimes a class II adjective is followed by な and a noun by の, or sometimes both are followed by な in the present affirmative.

		→		
(adj. II)	しずかだ	―と　おもいます	"I think that"	(21か)
(n.)	あめ　だ	―そうです	"I heard that"	(22か)
		―から	"because"	(22か)
		―し	"because"	(22か)
		―けれども	"although"	(23か)
(adj. II)	しずか	―でしょう	"probably" "may (be)"	(21か)
(n.)	あめ	―だろうと　おもいます	"I think, probably"	(21か)
		―に　ちがい　ありません	"must (be)"	(21か)
		―かも　しれません	"might (be)"	(21か)
		―らしいです	"it seems that"	(28か)
(adj. II)	しずかな	―ので	"because"	(22か)
(n.)	あめ　な	―のに	"although"	(24か)
		―のです	"I'll explain that"	(26か)
(adj. II)	しずかな	とき	"when"	(17か)
(n.)	あめ　の	はずです	"it's supposed that"	(28か)
		ようです	"it seems that"	(28か)

れんしゅう　もんだい　Exercises

A. つぎの　ぶんに　「ようです」「らしいです」を　つけなさい。

Add *yō desu* and *rashii desu* at the end of the following sentences.

1. となりの　へやには　だれも　いません。
2. あの　かたは　あたらしい　せんせいです。
3. その　かたは　アメリカじんでは　ありません。
4. だれか　きました。
5. この　つくえは　かぎが　かかって　います。
6. その　じしょは　とても　べんりです。
7. あの　うちは　きのうは　しずかでした。
8. ちちたちの　はなしは　もう　すみました。
9. おとうとは　きのう　びじゅつかんへ　いきませんでした。
10. あれは　きむらさんの　くるまです。
11. スキーを　していると　あまり　さむく　ありません。
12. あたらしい　せいとたちは　ねっしんです。
13. あの　つくえの　うえは　きたないです。
14. こどもたちは　もう　おきました。
15. あさごはんの　したくは　まだ　できて　いません。

B. つぎの　ぶんに　「はずです」を　つけて　その　りゆうに　なる　ぶんを　かんがえて　かきなさい。

Add *hazu desu* at the end of the following sentences and write the reason why.

1. その　さらは　きれいです。
2. スミスさんは　まだ　きて　いません。
3. この　てがみは　いっしゅうかんで　パリに　つきます。
4. この　でんしゃは　とっきゅうです。
5. けいさつの　ひとが　すぐ　ここに　きます。
6. この　とは　あきません。
7. あには　もう　なごやに　つきました。
8. いもうとは　テニスは　へたです。
9. おとうとは　きのう　みずうみで　およぎませんでした。
10. この　ほんは　あなたには　やさしかったです。
11. この　すうじは　ジョンソンさんの　でんわばんごうです。
12. その　りょうりは　あまり　やすくは　ありませんでした。
13. あなたの　びょうきは　すぐ　なおります。
14. きのうの　よる　だれかが　ここで　たべました。
15. ぎんこうは　やすみでした。

C. つぎの　ぶんを　ひがいの　うけみの　かたちに　しなさい。

Rewrite the following sentences in the passive form indicating "adversity".

1. おとうとは　いもうとの　だいすきな　いすを　こわして　しまいました。
2. どろぼうは　ちちの　かばんを　ぬすみました。
3. ともだちは　おとうとの　ぼうしを　とりました。
4. やまださんは　わたくしの　へたな　えを　みました。
5. いぬは　どろぼうの　あしを　かみました。
6. ちょうど　しょくじを　して　いる　とき　おきゃくが　きました。
7. やまに　いった　とき　ゆきが　ふりました。
8. ははの　ぞうりを　いぬが　どこかへ　もって　いきました。
9. あたらしい　ワイシャツを　こどもが　よごしました。
10. いしゃが　とても　いたい　ちゅうしゃを　しました。

LESSON 28

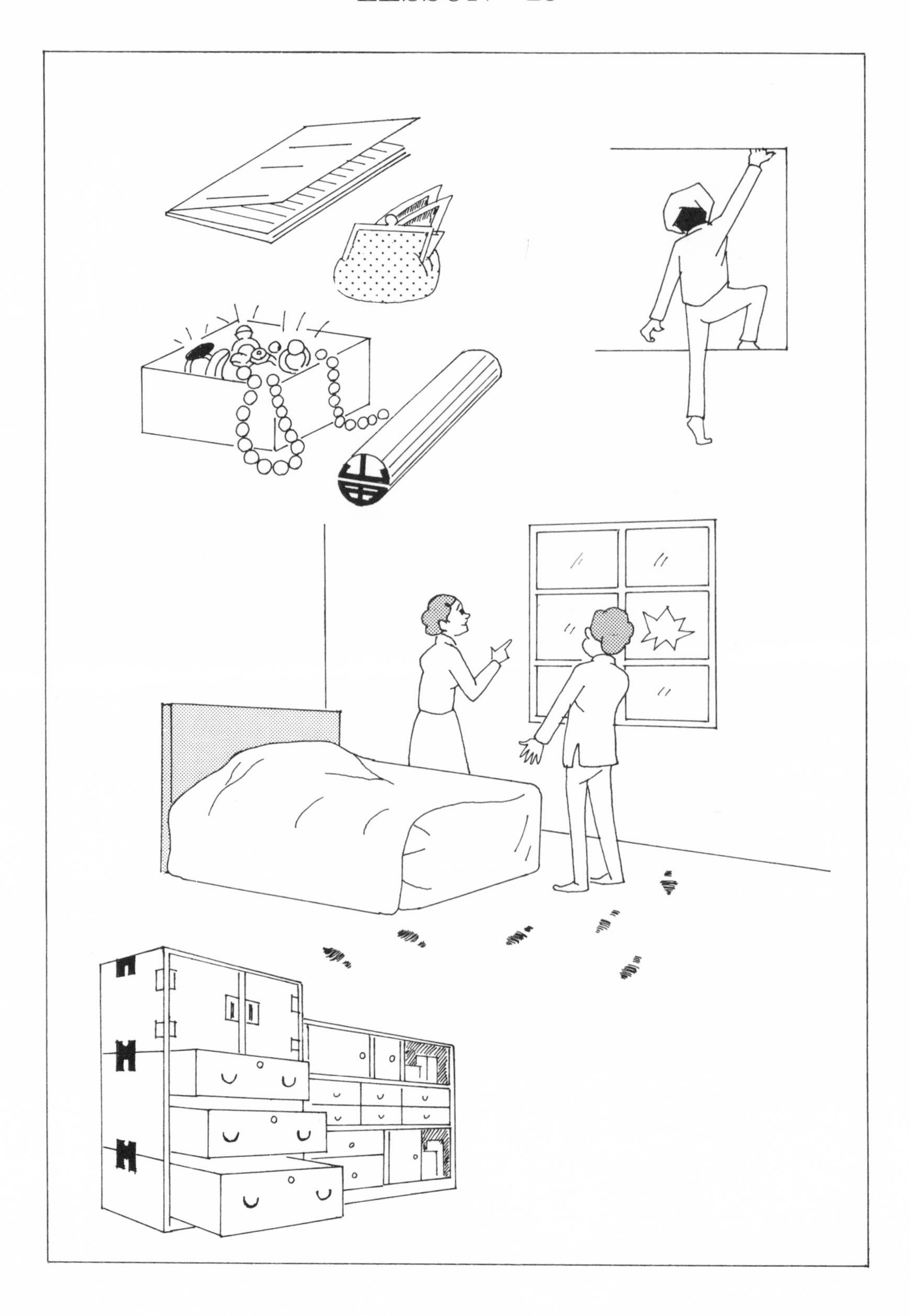

LESSON 29

だい　にじゅうきゅうか

みちの　たずねかた

クラークさんは　きょうかいの　ぼくしです。
キリストきょうの　せんきょうしとして　にほんに　きてから　もう　すぐ　じゅうねんに　なります。
きたばかりの　ときは　にほんごが　すこしも　わかりませんでしたから、ともだちに　つうやくして　もらわなければ　なりませんでしたが、いまでは　じょうずに　はなせる　ように　なりました。
はんたいに　クラークさんが　ほかの　ひとの　ために　つうやくして　あげる　ことも　あります。

クラークさんの　にほんごは　はつおんも　アクセントも　にほんじんの　ようです。
クラークさんは　にほんごの　しんぶんも　よめますし、にほんごの　てがみも　かけます。
すきやきや　てんぷらを　はじめ　にほんりょうりが　だいすきに　なり、すしでも　さしみでも　なんでも　たべられる　ように　なりました。
はしも　はじめは　なかなか　うまく　つかえませんでしたが、いまは　ナイフと　フォークより　べんりだと　おもう　ように　なりました。

とうきょうの　まちにも　だいぶ　なれて、ふくざつな　でんしゃの　のりかえにも　くわしく　なりました。
アメリカの　まちは　わかりやすくて、はじめて　いく　うちでも　ちずさえ　あれば　まよいませんが、とうきょうの　まちは　わかりにくくて　こまりました。

けれども　にほんごが　はなせる　ように　なってからは、こうばんで　おまわりさんに　たずねれば　すぐ　おしえて　くれますから、ちっとも　こまりません。
たとえば　こんな　ふうに　たずねます。
「あのう、ちょっと　うかがいますが、ごちょうめ　はちばんちの
　やまださんの　おたくは　どの　へんでしょうか。」
すると　おまわりさんは
「ああ、やまださんは、その　みちを　まっすぐ　いって、つぎの
　よつかどを　みぎに　まがって、すぐの　せまい　みちを　ひだりに　はいって、つきあたりの　うちです。しろい　いしの　へいで
　あおい　やねですから、すぐ　わかるでしょう。」
と　いう　ふうに　おしえて　くれます。

クラークさんは　いまでは　もう　にほんの　せいかつに　すっかりなれました。
クラークさんの　ぼっちゃんは　にほんの　しょうがっこうに　いって　います。
ぼっちゃんは　クラークさんより　もっと　にほんごが　じょうずです。
にほんじんの　ような　はつおんで　にほんじんの　ように　はなします。

ぶんけい

1. クラークさんは　キリストきょうの　せんきょうしとして　にほんに　きました。
   この　ほんを　にほんごの　テキストとして　つかいましょう。
   ともだちとして　やくそくは　やぶれません。
2. もうすぐ　じゅっさいに　なります。
   やまださんは　もうすぐ　ここに　きます。
3. にほんに　きてから　ここに　すんで　います。
   ちちが　でかけてから　もう　いちじかんに　なります。
4. クラークさんは　いまでは　にほんごが　じょうずに　はなせる　ように　なりました。
   にほんごの　しんぶんが　よめますし、てがみも　かけます。
   クラークさんは　さしみが　たべられる　ように　なりました。
5. はしは　ナイフと　フォークより　べんりだと　おもう　ように　なりました。
   いまでは　にほんごの　てがみが　かける　ように　なりました。
6. a. クラークさんの　にほんごは　にほんじんの　ようです。
   b. クラークさんは　にほんじんの　ような　いい　にほんごを　はなします。
   c. クラークさんは　にほんじんの　ように　じょうずに　にほんごを　はなします。
   a. その　はなは　まっしろで　ゆきの　ようです。

   b. ゆきの　ような　まっしろな　はなが　さきました。
   c. その　はなは　ゆきの　ように　まっしろです。

Sentence Patterns-English Equivalents

1. Mr. Clark came to Japan as a Christian missionary.

   Let's use this book as a Japanese language textbook.

   As his friend, (I) cannot break my promise (to him).

2. (He) will soon become ten years old.

   Mr. Yamada will soon be here.

3. (I)'ve lived here ever since (I) came to Japan.

   An hour has passed since (my) father left home.

4. Mr. Clark is now able to speak Japanese well.

   (He) can read a Japanese newspaper and write letters (in Japanese).

   Mr. Clark is able to eat raw fish.

5. (He) has gotten to the point where (he) thinks that chopsticks are more convenient to use than a knife and fork.

   Now (he) has gotten to the point where he can write letters in Japanese.

6. (a) Mr. Clark's Japanese is just like that of a native speaker.

   (b) Mr. Clark speaks good Japanese just like a native speaker.

   (c) Mr. Clark speaks Japanese well just like a native speaker.

   (a) That flower is as white as snow. (lit. That flower is white and is like the snow.)

   (b) Flowers as white as snow bloomed.

   (c) That flower is as white as snow.

7. いまでは　クラークさんが　ほかの　ひとの　ために　つうやくして　あげる　ことも　あります。
すずきさんは　かいしゃには　たいてい　でんしゃで　いきますが、くるまで　いく　ときも　あります。
たいていの　レストランでは　たべてから　はらいますが、たべる　まえに　はらう　ところも　あります。
たいていの　がいこくじんは　さしみが　きらいですが、なかには　だいすきな　ひとも　います。
8. クラークさんは　すきやきや　てんぷらを　はじめ　にほんりょうりが　だいすきに　なりました。
ちちは　えいごを　はじめ　いろいろな　がいこくごが　わかります。
9. スミスさんは　きょう　はじめて　はしを　つかいました。
スミスさんは　せんげつの　はじめに　はじめて　にっこうへ　いきました。
10. ちずさえ　あれば　まよいません。
この　くすりを　のみさえ　すれば　なおります。
11. はじめは　ちっとも　わかりませんでした。
いまでは　みちを　たずねる　ときも　ちっとも　こまりません。
12. おまわりさんは「その　せまい　みちを　ひだりに　はいって　つきあたりの　うちです。」と　いう　ふうに　おしえて　くれます。
クラークさんは　いまでは　はしも　じょうずに　つかえるし　すしでも　さしみでも　たべられる、と　いう　ふうに　にほんの　せいかつに　なれました。

7. Now Mr. Clark sometimes interprets for others.

   Mr. Suzuki usually goes to the company by train, but sometimes he goes by car.
   At most restaurants (you) usually pay after eating, but at some places (you) have to pay before eating.
   Most foreigners dislike raw fish, but some like it very much.

8. Mr. Clark got to like Japanese food very much, especially *sukiyaki* and *tempura*.
   My father understands English and various other foreign languages.
9. Mr. Smith used chopsticks for the first time today.
   Mr. Smith went to Nikko for the first time in the beginning of last month.

10. If (you) just have a map, (you) won't get lost.
    If (you) just take this medicine, (you)'ll recover.
11. At first (he) didn't understand it at all.
    Now (he) doesn't have any difficulty at all when asking for directions.
12. Policemen usually give directions as follows: "Turn left on that narrow road. It's the house at the end of the street."
    Mr. Clark can now use chopsticks well and also can eat *sushi* and *sashimi* and so in this way, he has gotten used to life in Japan.

Explanations

1. 〜として = as 〜

2. もうすぐ refers to an event in the immediate future. It's more colloquial than まもなく.

3. 〜から = since 〜

4. The potential form for verbs (かのう):
   Aは　Bを　〜する　→　Aは　Bが　〜できる
   Ex. クラークさんは　にほんごの　しんぶんを　よみます。
   Mr. Clark reads Japanese newspapers.
   クラークさんは　にほんごの　しんぶんが　よめます。
   Mr. Clark can read Japanese newspapers.
   This form means the same as 〜することが　できる.
   The particle を following the object of the verb is replaced by the particle が in the potential form.
   てがみを　かく　→　てがみが　かける
   しんぶんを　よむ　→　しんぶんが　よめる

● **How to construct the potential form for verbs:**

verb classification	dictionary form	potential form	change of ending	meaning
(V.5)	かく	かける	-u → -eru	can write
	よむ	よめる	-u → -eru	can read
(V.1)	あける	あけられる	-u → -areru	can open
	たべる	たべられる	-u → -areru	can eat
(V.S.)	もって　くる	もって　こられる	kuru → korareru	can bring
	せつめいする	せつめいできる	suru → dekiru	can explain

Note: The potential form of *go-dan* verbs is formed by replacing the last vowel of the dictionary form, *-u*, with *-eru*.
The potential form of *ichi-dan* verbs and くる is the same as the passive form.
The potential form of する is できる.

- **The inflection of the potential form:**

The potential endings inflect the same way as *ichi-dan* verbs.

	ない-form	ます-form	dictionary form	ば-form	intentional form
(V.5)	よめ　(ない)	よめ　(ます)	よめる	よめれ　(ば)	よめ　(よう)
(V.1)	ねられ(ない)	ねられ(ます)	ねられる	ねられれ(ば)	ねられ(よう)
(V.S.)	こられ(ない)	こられ(ます)	こられる	こられれ(ば)	こられ(よう)
(V.S.)	でき　(ない)	でき　(ます)	できる	できれ　(ば)	でき　(よう)

5. ～する　ように　なる　= has gotten to the point where ～

6. ～の　ようです　= is like ～
   よう inflects like a class II adj.
   When よう modifies a noun, it takes the ending な.
   おとこのこの　ような　おんなのこ　a girl that looks like a boy
   When よう is used as an adverb, it takes に.
   おとこのこの　ように　はなす　(She) speaks like a boy.

7. ～する　ことも　ある＝ときどき　～する sometimes do ～
   ～する　ひとも　いる＝ある　ひとは　～する　some people do ～

8. The nouns that precede －を　はじめ indicate the most important of the possible examples.

9. はじめて＝ for the first time
   Note:　はじめに ＝ first　(See lesson 11-7)
   はじめは ＝ at first, in the beginning (See lesson 19-1)

10. ～さえ　～すれば,＝ (lit.) if (you) just ～.

11. ちっとも is used always with a negative word the same as すこしも. ちっとも is more colloquial than すこしも.

12. ～と　いう　ふうに is an expression used for giving examples.

れんしゅう　もんだい　　Exercises

A. つぎの　ぶんを　かのうの　かたちに　し、「なりました」に　つづけなさい。

Change the following sentences into the potential form and put the verb "*nari-mashita*" at the end of the sentences.

1. ドイツごの　しんぶんを　よむ。
2. ただしい　アクセントで　いう。
3. にほんごで　でんわを　かける。
4. かんじも　にひゃくぐらい　かく。
5. まいにち　がっこうに　くる。
6. ぶんを　じょうずに　つくる。
7. ながい　はなしを　する。
8. ひとりで　きものを　きる。

B. つぎの　ことばを　つかって「～さえ～ば」の　かたちで　ひとつづきの　ぶんを　つくりなさい。

Make sentences in the ～*sae* ～*ba* form using the following words.

〔れい〕

ひらがな　おぼえる　にほんご　てがみ　かける

→ひらがなさえ　おぼえれば　にほんごで　てがみが　かけます。

1. じかん　ある　ピアノ　れんしゅうする
2. てんき　いい　やま　のぼる
3. ねっしん　べんきょうする　すぐ　おぼえる
4. ねだん　たかい　ない　かった　ちがいない

C. つぎの　(　　)の　なかに　「はじめて」「はじめに」「はじめは」の　うち　てきとうな　ことばを　えらんで　いれなさい。

Fill in the parentheses with *hajimete*, *hajime ni* or *hajime wa.*

1. (　　　　)　ほんを　よく　よんで　それから　しつもんに　こたえてください。
2. (　　　　)　よく　わかりませんでしたが　だんだん　わかって　きました。
3. きのう　ことしに　なって　(　　　　)　えいがを　みました。
4. きのう　(　　　　)　えいがを　みて　あとで　しょくじを　しました。
5. きょう　にほんに　きて　(　　　　)　ははに　てがみを　かきました。
6. さしみは　(　　　　)　おいしいと　おもいませんでした。

D. つぎの　(　　)の　なかに　てきとうな　めいしを　いれなさい。

Fill in the parentheses with the appropriate nouns.

1. (　　　　)を　はじめ、にほんには　きれいな　やまが　たくさん　あります。
2. スミスさんは　はじめ　(　　　　)　と　して　この　がっこうに　きて　にほんごを　ならいましたが、いまでは　(　　　　)と　して　おしえて　います。
3. きれいな　きものを　きた　おんなのこたちは　(　　　　)の　ようです。
4. やまもとくんは　(　　　　)を　はじめ　あちらこちらに　スミスさんを　あんないしました。
5. クラークさんの　おとこのこの　めの　いろは　(　　　　)の　ように　あおいです。

LESSON 30

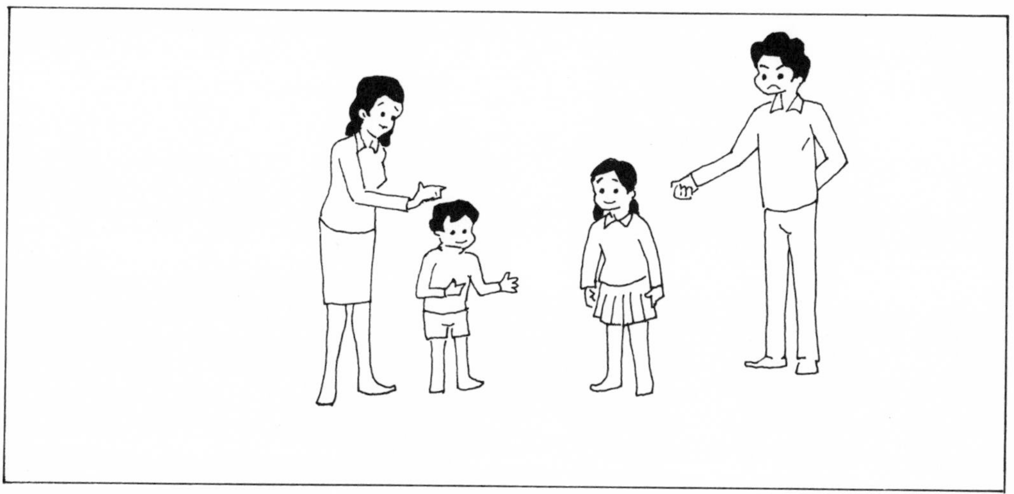

だい　さんじゅっか

こどもの　そだてかた

よしこちゃんと　まさおちゃんは　きょうだいです。
よしこちゃんは　もうすぐ　ようちえんに　はいるので、ようふくを　きたり　ぬいだり　する　ことも、てを　あらって　ごはんを　たべる　ことも、じぶんで　できます。
まさおちゃんは　まだ　ちいさいので　じぶんで　できませんから、おかあさんが　おこしたり　ねかせたり　ようふくを　きせたり　ぬがせたり　ぎゅうにゅうを　のませたり　ごはんを　たべさせたり　して　やります。
ひとりで　へやの　なかを　あるく　ことは　できますが　よく　ころびます。
けれども　まさおちゃんは　げんきの　いい　こですから、ころんでも　めったに　なきません。
いつも　にこにこ　わらって　います。

ぶんけい

1. おかあさんは　まさおちゃんに　ぎゅうにゅうを　のませたり　ごはんを　たべさせたり　します。
   おかあさんは　まさおちゃんを　ひとりで　あるかせます。
   おかあさんは　まさおちゃんに　へやの　なかを　ひとりで　あるかせます。

よしこちゃんは やさしい おねえさんで おとうとを よく かわいがります。
おとうとが おもちゃを ほしがれば かして やります。
いっしょに あそびたがれば あそんで やります。
おとうとが おもちゃを こわしても おこらないで ゆるして やります。
よしこちゃんは おとなしくて がまんづよい こです。
かなしい ときも たいてい なかないで がまんします。

りょうしんは こどもたちに やさしいですが、うそを ついたり けんかを したり わるい ことを した ときには しかります。
おかあさんの てつだいを したり ひとに しんせつな ことを したり いい ことを した ときには ほめて やります。
そして こどもたちが いつまでも おやに たよらないで はやく どくりつしんを もつ ように のぞんで います。
べんきょうしろと いわれなければ べんきょうしない ような にんげんでなく、やれと いわれなくても じぶんで かんがえて やる ような にんげんに なる ように のぞんで います。

Sentence Patterns-English Equivalents

1. Masao's mother feeds him rice and milk.

   Masao's mother makes him walk by himself.

   Masao's mother makes him walk in the room by himself.

2. せんせいは　せいとに　なまえを　かかせました。
   わたくしは　そのひとに　なまえを　かいて　もらいました。
   ははは　むすめを　そこへ　いかせました。
   すずきさんは　ともだちに　そこへ　いって　もらいました。
3. まさおちゃんは　よしこちゃんの　おもちゃを　ほしがります。
   まさおちゃんは　よしこちゃんと　あそびたがります。
   おおやまさんは　ふとって　いますから、なつは　とても　あつがります。
   ねこは　いぬを　こわがります。
4. コーヒーで　なく、こうちゃが　のみたいのです。
   くるまで　なく、でんしゃで　いきました。
5. りょうしんは　こどもたちが　はやく　どくりつしんを　もつ　ように
   のぞんで　います。
   あした　いい　てんきに　なる　ように　のぞんで　います。
6. この　こどもは　いつも　べんきょうしろと　いわれなければ　べんきょ
   うしません。
   よしこちゃんは　やれと　いわれなくても　じぶんで　かんがえて　やり
   ます。
   ちちが「すぐ　ここに　こい」と　いったので　いそいで　いきました。
   おきろ。
   あれを　みろ。
7. おとうとが　アメリカで　べんきょうしたがって　いたので、ちちは　お
   とうとを　アメリカへ　いかせて　やりました。
   いもうとは　わたくしに　その　たいせつな　まんねんひつを　つかわせて
   くれません。
   わたくしに　やらせて　ください。
   またせて　おきます。
   こどもは　こどもどうし　あそばせて　おきましょう。
8. ちちは　こどもたちを　その　へやに　はいらせませんでした。
   こどもたちに　コーヒーを　のませないで　ください。

2. The teacher made the students write their names.

   I had that person write his name.

   The mother made her daughter go there.

   Mr. Suzuki had his friend go there.

3. Masao wants Yoshiko's toys.

   Masao wants to play with Yoshiko.

   Mr. Ōyama feels hot in summer because he is fat.

   Cats are afraid of dogs.

4. (I) want to drink tea, not coffee.

   (I) went by train, not by car.

5. Their parents hope that they will become independent soon.

   (I) hope that it will be nice weather tomorrow.

6. This child doesn't study unless he is told to do so all the time.

   Yoshiko thinks and acts on her own without having to be told.

   My father said, "Come here right away," so I hurried to him.

   Wake up!

   Look at that!

7. My younger brother wanted to study in America, so my father allowed him to go there.

   My younger sister doesn't allow me to use her favorite fountain pen.

   Let me do it!

   (I)'ll let (them) wait.

   Let the children play among themselves.

8. The father didn't allow his children to enter that room.

   Don't let the children drink coffee.

Explanations

1. The causative form for verbs (しえき):

This form is used when someone (A) makes somebody else (B) do something.

Note the particle following the person (B) in the examples below.

Case I: に must follow B when the verb requires a noun followed by を.

Aは　Bに　ほんを　よませる。
A makes B read the book.
Aは　Bに　へやの　なかを　あるかせる。
A makes B walk in the room.
Aは　Bに　うたを　うたわせる。
A makes B sing a song.

•Case II: を must follow B when the verb requires a noun followed by に.

Aは　Bを　がっこうに　いかせる。
A makes B go to school.
Aは　Bを　わたくしに　あわせる。
A makes B meet me.

Case III: Either に or を can be used.

Aは　Bを　（Bに）　にわで　あるかせる。
A makes B walk in the garden.
Aは　Bを　（Bに）　うたわせる。
A makes B sing.
Aは　Bに　（Bを）　がっこうへ　いかせる。
A makes B go to school.

● **How to construct the causative form for verbs:**

verb classification	dictionary form	causative form
(V.5)	かく	かかせる
	よむ	よませる
(V.1)	あける	あけさせる
	たべる	たべさせる
(V.S.)	もって　くる	もって　こさせる
	せつめいする	せつめいさせる

Note: The causative form of *go-dan* verbs is formed by adding *-seru* to the verb stem of the ない-form.

The causative form of *ichi-dan* verbs and くる is formed by adding *-saseru* to the verb stem of the ない-form.

The causative form of する is させる.

- **The inflection of the causative form:**

The causative endings, -せる and -させる, inflect the same way as *ichi-dan* verbs.

ない-form	ます-form	dictionary form	ば-form	intentional form
-せ (ない)	-せ (ます)	-せる	-せれ (ば)	-せ (よう)
-させ(ない)	-させ(ます)	-させる	-させれ(ば)	-させ(よう)

2. The causative form of a verb indicates a relationship where the subject is considered superior to the person that must do something. When the subject wants to show respect or thanks to a person who does something for him, the sentence form ～して もらう (See lesson 19-10) should be used.

3. ほしい and ～したい express one's wish or desire. When this desire is shown in action, it is expressed by the suffix -がる which replaces the ending -い.

ほしい → ほしがる

したい → したがる

The suffix -がる is also attached to adjectives which express feeling.

Examples: うれしい → うれしがる

さむい → さむがる

The suffix -がる inflects in the same way as *go-dan* verbs.

ない-form	ます-form	dictionary form	ば-form	Intentional form
-がら(ない)	-がり(ます)	-がる	-がれ(ば)	-がろう

4. Aで なく B = not A but B

5. ～する ように のぞむ = hope that ～, wish that ～
This is an expression using indirect speech.

6. The imperative form for verbs:

	dictionary form	imperative form	change of ending	meaning
(V.5)	かく	かけ	-u → -e	Write (it)!
	よむ	よめ	-u → -e	Read (it)!
(V.1)	おきる	おきろ	-u → -o	Wake up!
	しめる	しめろ	-u → -o	Shut (it)!
(V.S.)	くる	こい	(irregular)	Come on!
	する	しろ	(irregular)	Do (it)!

This form is not used in です-ます sentences unless in quotations.

It's often used in conversation between close friends (male) or when a superior (male) speaks to an inferior or when a person (either male or female) speaks to a pet (an animal).

7. The て-form of the causative plus やる, あげる, くれる or おく sometimes means "allow" or "let".

させて　やる = allow (someone) to do (something)
させて　あげる = (the same as above)
させて　ください = let me, let us do (something)
させて　おく = let (someone) do (something)

8. The negative form of the causative often means "doesn't allow" or "doesn't let".

れんしゅう　もんだい　Exercises

A. おなじ　ことがらでも　「させる」と　いう　いいかたと　「して　もらう」と　いう　いいかたが　あるが、つぎの　ぶんで　てきとうな　ほうを　もちいなさい。

Change the verbs in parentheses to the causative form, *saseru* or *shite morau,* according to the meaning of the sentence.

1. おとうとは　よく　じょうだんを　いって　みんなを　(わらう)ます。
2. スミスさんは　その　てがみを　よもうと　しましたが、むずかしい　かんじが　あったので、やまもとくんに　(よむ)ました。
3. ねつが　ありますから　おいしゃさんに　(くる)ましょう。
4. おかあさんは　あかちゃんに　ぎゅうにゅうを　(のむ)ました。
5. その　ことに　ついて　あなたに　もういちど　(せつめいする)たいのです。
6. ちちは　わたくしに　その　しごとを　(やる)ようと　しました。
7. その　かたは　あの　へやの　とに　かぎを　かけて　しまって、だれにも　(あける)ません。
8. おもしろそうな　しごとですから、わたくしに　(する)て　ください。
9. あしたは　おべんとうが　いりますから、おかあさんに　(つくる)て　ください。
10. こどもたちに　あまり　たくさん　おかしを　(たべる)ないで　ください。

B. つぎの　いらいの　ぶんを　みじかい　めいれいに　なおしなさい。

Change the following into imperatives.

1. がまんして　ください。
2. よく　かんがえて　ください。
3. ちょっと　かおを　かして　ください。
4. はいって　ください。
5. そこに　すわって　ください。
6. もう　すこし　ここに　いて　ください。
7. すぐに　でて　いって　ください。
8. うちに　かえって　ください。
9. その　こどもを　つれて　きて　ください。
10. いそいで　きかえて　ください。

LESSON 31

だい　さんじゅういっか

うんの　わるい　ひ

きょうは　スミスさんに　とって　うんの　わるい　ひでした。
まず　ゆうべ　めざましどけいを　かけて　おくのを　わすれたので、うっかり　あさねぼうを　して　しまったのです。
あわてて　とびおきて、あさごはんも　たべずに　うちを　でました。
いつもの　でんしゃに　まにあうか　どうか　わかりませんでしたが、とにかく　えきまで　はしって　いきました。
えきに　つくと　あいにく　でんしゃは　ちょうど　でて　しまったところでしたから、つぎの　でんしゃまで　ななふんも　またなければ　なりませんでした。
タクシーで　いこうか　どう　しようかと　まよいましたが、みちがこめば　タクシーの　ほうが　じかんが　かかるかも　しれないとおもって　やめました。
えきで　ななふん　まつなら、もっと　ゆっくり　あるいて　くればよかったと　おもいました。
やっと　つぎの　でんしゃが　きたので　それに　のりましたが、その　でんしゃは　つぎの　えきで　こしょうして　うごかなく　なりました。
しかたが　ないので　スミスさんは　えきの　そとに　でて、タクシーを　ひろいました。
みちは　わりあいに　すいて　いましたから、これなら　はじめからタクシーに　のれば　よかったと　おもいました。
でも　それからでは　どんなに　いそいでも　まに　あいません。
スミスさんは　とうとう　がっこうに　ちこくして　しまいました。
また　がっこうでは　きゅうに　かんじの　しけんが　あって、せんしゅう　ならった　かんじを　ぜんぶ　かかせられました。

スミスさんは　ただしいか　どうか　わかりませんでしたが、とにかく　かいて　みました。
あとで　しらべて　みると、スミスさんの　かいた　かんじは　ほとんど　ぜんぶ　まちがって　いましたから、スミスさんは　とても　はずかしく　なりました。
きょう　しけんが　あるなら　きのう　よく　れんしゅうして　おけば　よかったと　おもいました。
つぎの　じかんに　せんせいは　せいとたちに　ひとりずつ　こくばんの　まえに　きて　にほんごで　みじかい　はなしを　する　ように　いいました。
スミスさんも　こくばんの　まえに　いかせられて　はなしを　させられましたが、うまく　はなせませんでした。
それから　せんせいは　せいとたちに　しゅくだいを　みせる　ように　いいました。
スミスさんは　ゆうべ　ちゃんと　やって　おいたのですが、けさ　あまり　あわてたので、もって　くるのを　わすれました。
わけを　はなして　あやまると、せんせいは　あした　かならず　もって　くる　ように　いって　ゆるして　くれました。

ぶんけい

1. まにあうか　どうか　わかりません。
   ただしいか　どうか　わかりません。
2. タクシーで　いこうか　どう　しようかと　まよいました。
   でんわを　しようか　どう　しようかと　まよいました。
3. もっと　ゆっくり　あるいて　くれば　よかったと　おもいました。
   はじめから　タクシーに　のれば　よかったと　おもいました。
   きのう　よく　れんしゅうして　おけば　よかったと　おもいました。
4. えきで　ななふん　まつなら　もっと　ゆっくり　あるいて　くれば　よかったと　おもいました。
   きょう　しけんが　あるなら　きのう　よく　れんしゅうして　おけば　よかったと　おもいました。
5. でんしゃは　つぎの　えきで　こしょうして　うごかなく　なりました。
   つかれて　あるけなく　なりました。
6. まに　あうか　どうか　わかりませんでしたが、とにかく　えきまで　はしって　いきました。
   ただしいか　どうか　わかりませんでしたが、とにかく　かいて　みました。
7. どんなに　いそいでも　まに　あいません。
   どんなに　たかくても　かう　つもりです。
   どんなに　ふべんでも　かまいません。
8. あさごはんを　たべずに　うちを　でました。
   かばんを　もたずに　でかけました。
9. うっかり　あさねぼうを　して　しまいました。
   しゅくだいを　もって　くるのを　うっかり　わすれました。
10. あした　かならず　もって　きて　ください。
    かならず　くじに　えきまで　むかえに　いきます。
11. スミスさんの　かいた　かんじは　ほとんど　ぜんぶ　まちがって　いました。
    この　ほんは　ほとんど　よんで　しまいました。

Sentence Patterns-English Equivalents

1. (I) don't know whether (I)'ll be on time or not.

   (I) don't know whether it's correct or not.
2. (I) wondered whether to go by taxi or not.

   (I) wondered whether to telephone or not.
3. (I) should have walked more slowly.

   (I) should have taken a taxi from the start.

   (I) should have studied more yesterday.
4. If (I) had known (I) had to wait at the station for seven minutes, (I) would have walked more slowly.

   If (I) had known (we) had an examination today, (I) would have studied more yesterday.
5. The train stopped at the next station because it broke down.

   (I) got so tired, (I) couldn't walk.
6. (I) didn't know whether (I) would be on time or not, but (I) ran to the station anyway.

   (I) didn't know whether it was correct or not, but (I) tried to write it anyway.
7. No matter how much (I) hurry, (I) won't be on time.

   No matter how expensive it is, (I)'ll buy it.

   (I) don't care how inconvenient it is.
8. (I) left home without eating breakfast.

   (I) left without taking (my) briefcase.
9. (I) overslept unintentionally.

   (I) absent-mindedly forgot to bring (my) homework.
10. Please bring it tomorrow for sure.

    (I)'ll meet you at the station at nine o'clock for sure.
11. The *kanji* which Mr. Smith wrote were almost all incorrect.

    (I) almost finished reading this book.

12. せんせいは　せいとに　にほんごで　みじかい　はなしを　するように　いいました。
　せんせいは　せいとに　しゅくだいを　みせるように　いいました。
13. せんしゅう　ならった　かんじを　ぜんぶ　かかせられました。
　スミスさんは　こくばんの　まえに　いかせられました。
14. あいにく　でんしゃは　ちょうど　でて　しまった　ところでした。
　でかけようと　する　ところに　あいにく　きゃくが　きました。

Explanations

1. The plain form of the verb －か　どうか　わからない ＝ do not know whether～or not

2. The intentional form of the verb －か　どう　しようかと　まよう ＝wonder whether (someone should)～or not

3. The contrary-to-fact conditional (the subjunctive), ～すれば　よかった (someone should have done it) means ～しなかったので　ざんねんだ (I'm sorry that someone didn't do it).

4. Here ～なら means "if I had known that ～" indicating a contrary-to-fact conditional.

5. ～しなく　なる = don't ～ anymore, be unable to ～

べんきょうしなく　なる	doesn't study anymore
てがみを　かかなく　なる	doesn't write anymore
あるけなく　なる	is unable to walk
やめられなく　なる	is unable to stop (a habit)

6. とにかく = anyway

7. どんなに　～ても = no matter how ～

8. ～ずに＝～ないで without doing something

　(V.5)　のむ　のま-ずに　＝　のまないで
　(V.1)　あける　あけ-ずに　＝　あけないで

12. The teacher told the students to give a short speech in Japanese.

    The teacher told the students to show (him) their homework.

13. (We) had (lit. were forced) to write all the *kanji* which we learned last week.

    Mr. Smith had (lit. was forced) to go up to the blackboard.

14. Unfortunately the train had just left.

    Unfortunately the guests arrived when (I) was about to leave.

(V.S.) くる　こ -ずに = こ ないで
　　　する　せ -ずに = し ないで

9. うっかり carelessly, unintentionally, absentmindedly

10. かならず for sure

11. ほとんど(ぜんぶ) almost (all)

12. ～に ～する ように いう = tell (somebody) to do (something)

13. The passive of the causative:

    It's often used when one has to do something when pressured by someone else. It implies he does it reluctantly.

    Aは Bに ほんを よませる　A makes B read the book.
    Bは Aに ほんを よませられる　B is forced by A to read the book.
    Bは ほんを よませられる　B has to read the book.

    This sentence implies B read the book reluctantly.

    The abbreviated form of the passive for the causative of *go-dan* verbs has recently become very common.

    よませられる → よまされる
    かかせられる → かかされる
    たたせられる → たたされる

14. あいにく = unfortunately

れんしゅう　もんだい　　Exercises

A. つぎの　しつもんに「〜か　どうか　わからない」「〜か　どう　しようかと　まよって　いる」の　かたちで　こたえなさい。

Answer the following questions using 〜 *ka dōka wakaranai* or 〜 *ka dōshiyōka to mayotte iru.*

1. この　ほんは　おもしろいですか。
2. そこは　しずかですか。
3. スミスさんは　あした　ここに　きますか。
4. あなたは　その　いえを　かりる　ことに　しましたか。
5. この　さらは　きれいですか。
6. あなたは　その　くるまを　かう　ことに　しましたか。

B. つぎの　ことを　こうかいした　ばあい「〜すれば　よかった」を　つかって　あらわしなさい。

Make subjunctive sentences about the following facts using 〜 *sureba yokatta.*

1. おそく　おきたので　ちこくしました。
2. じゅうぶん　れんしゅうしなかったので　じょうずに　ピアノが　ひけませんでした。
3. おふろに　はいったので　かぜを　ひきました。
4. かさを　もって　こなかったので　こまりました。
5. まどを　あけたので　つよい　かぜが　ふきこみました。
6. しんぶんを　よく　よまなかったので　しりませんでした。

C.「ずに」を　つかって　まえのぶんを　あとのぶんに　つなぎなさい。

Combine the following two sentences into one using the 〜*zuni* pattern.

1. くつを　はきません。にわに　でました。
2. まどを　しめません。ねました。
3. しょくじを　しません。でかけました。
4. ここに　きません。そこに　いきました。
5. なまえを　かきません。てがみを　だしました。
6. せつめいしません。いって　しまいました。

D. つぎの　ことばを　つかって、しえきの　うけみの　ぶんを　つくりなさい。

Make sentences in the causative passive using the following words.

1. ちち　　おもい　いす　　となりの　へや　　わたくし　　もって　くる
2. おばあさん　　その　はなし　　きく　　わたくしたち　　なんども
3. スミスさん　　にほんごの　ほん　よむ　むずかしい
4. まずい　おかし　　たべる　　ともだちの　うち
5. おてあらいの　そうじ　　あねと　いもうと　　する　きょう　　はは
6. ごしゅじん　　おくさん　　たかい　ようふく　　かう

E.「どんなに　〜ても」を　つかって　まえの　ぶんを　あとの　ぶんに　つなぎなさい。

Combine the following two sentences into one using the pattern, *donnani* 〜 *temo.*

1. むずかしいです。あなたなら　わかります。
2. まちがいます。はずかしがりません。
3. たべます。ふとりません。
4. らくです。くるまは　きらいです。
5. よく　あらいます。きれいに　なりません。
6. へたです。れんしゅうすれば　じょうずに　なります。

F. あいにく、かならず、ほとんど、うっかり、ぜひ、などの　ふくしの　なかで　てきとうな　ものを　いれなさい。

Fill in the parentheses with the appropriate adverbs, *ainiku*, *kanarazu*, *hotondo*, *ukkari* or *zehi.*

1. もう（　　　　　）ぜんぶ　おわりました。
2. （　　　　　）にっこうへ　いってみたいです。
3. （　　　　　）ともだちは　るすでした。
4. （　　　　　）さいふを　わすれました。
5. やくそくしましたから　あには（　　　　　）ここに　きます。

LESSON 32

だい　さんじゅうにか

ゆうしょくに　しょうたいされて（ほうもん）

あるひ　やまもとくんが　スミスさんに　しょうたいの　でんわを　かけて　きました。
やまもとくんは　いつもと　ちがって　とくべつ　ていねいな　ことばで　いいました。
「こんどの　どようびに　うちに　いらっしゃって　くださいませんか。りょうしんが　ゆうしょくを　さしあげたいと　もうして　おりますが。」
そこで　スミスさんも　ならったばかりの　けいごを　いっしょうけんめい　つかって　こたえました。
「ありがとう　ございます。よろこんで　うかがいます。」
どようびの　ゆうがた、スミスさんは　やくそくした　とおり　やまもとくんの　うちを　ほうもんしました。
「ごめんください。」
「よく　いらっしゃいました。さあ、どうぞ　おあがり　ください。」
「では　おじゃま　いたします。」
「ざぶとんを　おしき　ください。どうぞ　おらくに。」
「ありがとう　ございます。」
すぐ　おかあさんも　でて　きました。
「いらっしゃいませ、スミスさん。しばらく　おめに　かかりませんでしたが、おげんきで　いらっしゃいますか。」
「はい、おかげさまで　げんきで　おります。」
やがて　おとうさんも　きました。
「やあ、スミスさんで　いらっしゃいますか。はじめまして。いつも　むすこが　おせわに　なっております。」
「はじめまして。スミスで　ございます。　こちらこそ　いつも　に

　ほんの　ことを　いろいろ　おしえて　いただいて　かんしゃして
　おります。」
おかあさんが　おちゃと　おかしを　もって　きて　すすめました。
「さあ、おひとつ　どうぞ。にほんの　おちゃを　のまれるでしょうか。」
「だいこうぶつで　ございます。よろこんで　いただきます。」
やまもとくんが　アルバムを　だして　きて　いいました。
「アルバムを　ごらんに　なりますか。まえに　きょうとで　とった
　しゃしんを　おめに　かけましょう。」
「ぜひ　はいけんさせて　ください。」
やまもとくんが　アルバムを　みせて　いる　うちに、おかあさんの
てりょうりの　ゆうはんの　したくが　できました。
「なにも　ございませんが、どうぞ　めしあがって　くださいませ。」
と　おかあさんは　いいましたが、なにも　ない　どころか、テーブ
ルの　うえは　ごちそうで　いっぱいでしたから、スミスさんは　び
っくりして、
「なぜ　『なにも　ございませんが』と　おっしゃったのでしょうか。」
と　たずねました。
やまもとくんは　わらって
「これは　しょくじを　すすめる　ときの　あいさつの　ような　も
　のなのです。『おくちに　あうものは　なにも　ございませんが』と
　いう　いみです。」
と　せつめいしました。
にぎやかに　しょくじが　はじまりました。
どの　りょうりも　とても　おいしいので、スミスさんが
「どれも　たいへん　けっこうな　おあじで　ございます。」
と　ほめると、おかあさんは　いいました。
「おせじが　おじょうずで　いらっしゃいますね。」
「おせじでなく、ほんとうに　おいしゅう　ございます。」
「そうで　ございますか。おきに　めして　よう　ございました。ご

はんの　おかわりを　いたしましょう。」
「どうぞ　おねがい　いたします。」
スミスさんは　えんりょなく　おかわりを　もらいました。
さんばいめの　ときは　さすがに　おなかが　いっぱいに　なって、
「ありがとう　ございますが、もう　けっこうで　ございます。」
と　ことわりました。
しょくじが　すんでから、おとうさんは　にほんの　ふるい　びじゅつの　ほんを　みせて　くれました。
スミスさんが　ねっしんに　みて　いると、おとうさんは、
「もし　よろしければ　おかし　しましょう。えいごの　せつめいも　ございますから、ゆっくり　およみに　なりませんか。」
と　いいました。
スミスさんは　びじゅつが　すきなので、とても　よろこびました。
「では、おことばに　あまえて、いっしゅうかんほど　おかり　しても　よろしいでしょうか。
らいしゅう　かならず　おかえしに　うかがいますが。」
「わざわざで　なく　おついでの　ときで　けっこうで　ございますよ。」
「ありがとう　ございます。たいせつな　ごほんを　ながく　はいしゃく　いたしますと　きがかりですので、できるだけ　はやく　おかえし　したいと　ぞんじます。」
いつのまにか　もう　じゅうじを　すぎて　いたので、スミスさんは　おれいを　いって　たちあがりました。
「きょうは　ほんとうに　ありがとう　ございました。」
「こちらこそ　たのしゅう　ございました。また　どうぞ　あそびに　いらっしゃって　くださいませ。」
「はい、また　うかがわせて　いただきます。」
「そとは　くろう　ございますから、おきを　つけて。」
「ありがとう　ございます。では、しつれい　いたします。おやすみなさい。」

ぶんけい

1. にほんの　おちゃを　のまれるでしょうか。
   うちで　ゆっくり　よまれる　ほうが　いいでしょう。
2. せんせいが　いらっしゃいました。
   どうぞ　めしあがって　ください。
3. この　ほんを　およみに　なりませんか。
   せんせいは　くじごろ　おでかけに　なりました。
4. どうぞ　おあがり　ください。
   ざぶとんを　おしき　ください。
5. ゆうはんを　さしあげたいと　もうして　おります。
   よろこんで　うかがいます。
6. もし　よろしければ　おかし　しましょう。
   できるだけ　はやく　おかえし　したいと　ぞんじます。
7. スミスさんで　いらっしゃいますか。
   おげんきで　いらっしゃいますか。
8. スミスで　ございます。
   だいすきで　ございます。
9. えいごの　せつめいも　ございます。
   きょうとで　とった　しゃしんが　ございます。
10. そとは　くろう　ございます。
    こちらこそ　たのしゅう　ございました。
    これは　びじゅつの　ほんで　ございます。
    これは　わたくしの　アルバムで　ございます。
11. りょうしんが　ゆうはんを　さしあげたいと　もうして　おりますが。

    この　ごほんを　いっしゅうかんほど　はいしゃくしたいのですが。
12. にほんの　おちゃを　のまれるでしょうか。
    この　ごほんを　いっしゅうかんほど　おかり　しても　よろしいでしょうか。

Sentence Patterns-English Equivalents

1. Do you drink Japanese tea?
   It would be better to read it leisurely at home.
2. The teacher has come.
   Please help yourself.
3. Wouldn't you like to read this book?
   The teacher left about nine o'clock.
4. Please come in.
   Please sit on a cushion.
5. (They) say that (they) would like to serve you dinner.
   I'll gladly come (lit. with much pleasure).
6. If you please, I'll willingly lend it to you.
   I would like to return it (to you) as soon as possible.
7. Are you Mr. Smith?
   How are you?
8. (I) am Smith.
   (I) like (it) very much.
9. There is also an English explanation.
   There are pictures which were taken in Kyōto.
10. It is dark outside.
    It was enjoyable for me.
    This is a book of art.
    This is my album.
11. My parents say that they would like to serve you dinner, if that is O.K. with you.
    I would like to borrow this book for about a week, if that is O.K.
12. Do you drink Japanese tea?
    May I borrow this book for about a week?

13. けっこうな　おあじで　ございます。
もう　けっこうで　ございます。
おついでの　ときで　けっこうで　ございます。
14. もし　よろしければ　おかし　しましょう。
このごほんを　おかり　しても　よろしいでしょうか。
15. スミスさんは　やくそくした　とおり　やまもとくんの　うちを　ほうもん　しました。
あなたが　おしえて　くれた　とおり　その　みせは　きょう　しまっていました。
16. なにも　ない　どころか　テーブルの　うえは　ごちそうで　いっぱいでした。
びょうき　どころか　とても　げんきです。
17. むすこが　おせわに　なって　おります。
こちらこそ　いつも　おせわに　なって　います。
18. この　りょうりは　おくちに　あうか　どうか　しんぱいです。
この　おかしは　あますぎて　おくちに　あわないでしょう。
19. さんばいめの　ときは　(よくたべる)　スミスさんも　さすがに　おなかが　いっぱいに　なりました。
ふじさんに　のぼった　ときは　(げんきな)　スミスさんも　さすがに　つかれました。
20. では　おことばに　あまえて　はいしゃくします。
おことばに　あまえて　うかがいました。
21. わざわざ　もって　きて　くださらなくても　けっこうです。
ともだちが　とおくから　わざわざ　てつだいに　きて　くれました。
22. ついでの　ときで　けっこうです。
よこはまへ　いった　ついでに　ともだちの　うちに　よりました。

ついでですから　たいした　ことは　ありません。
ついでが　あれば　とどけましょう。

13. It is delicious.
    No, thank you.
    Next time will be fine.
14. If you please, I can lend it to you.
    May I borrow this book?
15. Mr. Smith visited Yamamoto's house as he had promised.

    That store was closed today as you had warned me.

16. (She said there was) "nothing," but on the contrary, the table was full of good things to eat.
    ((I) thought (he) was) "sick," but on the contrary, (he) is very healthy.
17. Thank you for helping my son.
    I'm grateful to him for helping me.
18. I'm wondering whether (you) will like this food or not.
    This cake is too sweet and I'm afraid (you) would not like it.
19. Even Mr. Smith (who eats a lot) was full by the third helping.

    Even Mr. Smith (who is strong) got tired when he climbed Mt. Fuji.

20. Thanks to your kindness, I'll borrow it.
    Thanks to your kindness, I came here.
21. There is no need to bring it just for me.
    My friend came a long way just to help me.
22. Next time will be fine.
    When (I) went to Yokohama (on some business), (I) dropped in at (my) friend's house.
    It's no bother because it's on (my) way.
    I'll deliver it on some other occasion.

23. できるだけ　はやく　おかえし　したいと　ぞんじます。
スミスさんは　やまもとくんの　うちで　できるだけ　ていねいに　はなしました。
24. いつのまにか　もう　じゅうじを　すぎて　いました。
いつのまにか　あめが　やんで　いました。
25. こちらこそ　いつも　いろいろ　おしえて　いただいて　かんしゃして　おります。
わたくしこそ　たのしゅう　ございました。
26. また　うかがわせて　いただきます。
ぜひ　はいけんさせて　いただきとう　ございます。
27. おげんきで　いらっしゃいますか。
「なにも　ございませんが。」と　おっしゃいました。
にほんの　ことを　いろいろ　おしえて　くださいます。
ゴルフを　なさいますか。
しょくじを　なさり、あじを　ほめて　くださり、また　くると　おっしゃって　じゅうじごろ　かえられました。

Explanations

The aim of this lesson is to explain how to use けいご, "honorific language".

There are two kinds of けいご.

One is そんけいの　けいご "honorific language showing respect" which is used for the listener, あなた, or persons who have a closer relationship to the listener than to the speaker.

Ex: あなたの　おかあさん　　あなたの　ぼっちゃん
あなたの　かいしゃの　かた　　etc.

The other is けんそんの　けいご "honorific language showing humility" which is used when speaking about oneself,「わたくし」, or persons who have a closer relationship to the speaker than to the listener.

Ex: わたくしの　はは　　わたくしの　むすこ
わたくしの　かいしゃの　もの(ひと)　etc.

The sentence patterns 1～4 and 7 are examples of そんけいのけいご, and 5～6

23. I would like to return it (to you) as soon as possible.

Mr. Smith spoke as politely as possible when he was at Yamamoto's house.

24. We didn't notice that it was already after ten o'clock.

We didn't notice that the rain had stopped.

25. I'm grateful to you for teaching me a lot.

I had an enjoyable time.

26. I'll visit you again.

I would like you to allow me to see it.

27. How are you?

(She) said, "There is nothing".

(He) teaches me a lot of different things about Japan.

Do you play golf?

(He) ate, praised my cooking, and, saying that (he) would come again, left about ten o'clock.

---

and 8～10 are examples of けんそんの　けいご.

The distinction as to when to use そんけい or けんそん is the same as that for おとうさん or ちち (see lesson 6 and 8) and あげる or くれる (see lesson 19).

1. The verb-stem of the ます-form + –れる or –られる can have an honorific meaning. The endings –れる and –られる are the same as for the passive (see lesson 27 and 28) and the potential in the case of *ichi-dan* verbs and the verb *kuru* (see lesson 29).

Whether these endings have a passive, a potential or a honorific meaning must be judged from the context in which they occur.

Ex: (a) とは　いま　あけられました。　(うけみ)
The door is now opened.　(passive)

(b) その　とは　おもくて　あけられません。　(かのう)
That door is so heavy, that I cannot open it.　(potential)

(c) せんせいは　とを　あけられました。　(けいご)
The teacher opened the door.　(honorific)

2. Some verbs contain an honorific meaning in themselves.

おっしゃる (meaning いう "to say")

なさる (meaning する "to do")

Another example いらっしゃる means either いく "to go", くる "to come" or いる "to be".

As a result, there are three possibilities when いらっしゃる is used as follows:

(a) せんせいは　しんかんせんで　おおさかへ　いらっしゃいました。
The teacher *went* to Ōsaka by bullet train.

(b) あした　ここへ　いらっしゃいますか。
Will you *come* here tomorrow?

(c) せんせいは　いま　きょうしつに　いらっしゃいますか。
Is the teacher in the classroom now?
(see Appendix: The chart of Honorific Verbs.)

3. The honorific prefix お + the verb-stem of the ます-form + になる forms an honorific sentence pattern showing respect.

かく	→	お	かき	に	なる	write
かえる	→	お	かえり	に	なる	return
おきる	→	お	おき	に	なる	get up
あける	→	お	あけ	に	なる	open

This form is never used in some verbs. Instead, other honorific verbs having the same meaning are used.

ordinary v.	honorific v.	the form never used	
いう	おっしゃる	おいいに　なる	say
みる	ごらんに　なる	おみ　に　なる	look at
くれる	くださる	おくれに　なる	give

(See Appendix: The Chart of Honorific Verbs.)

4. The honorific prefix お + the verb-stem of the ます-form + ください is often used for requests.

This is the abbreviated form for お～になってください。

おはいりに　なって　ください→おはいり　ください

おかけ　に　なって　ください→おかけ　ください

5. Some verbs contain a humble meaning in themselves.

もうす (meaning いう "to say")

いたす (meaning する "to do")

Other examples, まいる means either いく "to go" or くる "to come", and おる means いる "to be".

The humble verb うかがう means either たずねる "to visit" or "to ask" or きく "to hear".

(a) せんしゅう すずきさんの おたくに うかがいました。
(I) visited Mr. Suzuki's house last week.

(b) ごじゅうしょを うかがっても よろしいでしょうか。
May I ask for your address?

(c) あなたの おはなしを うかがいました。
(I) heard your speech.
(See Appendix: The Chart of Honorific Verbs.)

6. The honorific prefix お + the verb-stem of the ます-form + する forms a sentence pattern showing humility.

かく	→	おかき	する	write (you)
はなす	→	おはなし	する	tell (you)
おこす	→	おおこし	する	wake (you) up
あける	→	おあけ	する	open something (for you)

This form is never used in some verbs. Instead, other humble verbs having the same meaning are used.

ordinary v.	humble v.	the form never used		
いう	もうす	おいい	する	tell (you)
みる	はいけんする	おみ	する	look at (something belonging to you)
いく	まいる	おいき	する	go (to your place)

The following humble sentence patterns can also be used in addition to the humble verbs.

ordinary v.	humble v	the form which can be used		
たずねる	うかがう	おたずね	する	visit (you)
きく	うかがう	おきき	する	ask (you)
かりる	はいしゃくする	おかり	する	borrow (from you)
みせる	おめに かける	おみせ	する	show (you)
あう	おめに かかる	おあい	する	meet (you)

(See Appendix: The Chart of Honorific Verbs.)

7. ーで　いらっしゃいます is the honorific form of です.

8. ーで　ございますis the humble form of です.

The sentence style which ends with ございます is called "theございますー style". This style is the most polite way of speaking and recently has not been commonly used, especially among young people.

9. ございます is the humble form of あります showing the speaker's respect toward the listener.

10. A class I adjective ＋ございます is the humble form for a class I adjective ＋です.

The ending of a class I adjective, ーい changes phonetically before ございます as follows:

さむい	→	さむう	ui	→	uu	cold
しろい	→	しろう	oi	→	oo	white
たかい	→	たこう	ai	→	oo	high
かわいい	→	かわゆう	ii	→	yu u	cute
おおきい	→	おおきゅう	(k)ii	→	(k)yu u	big

Note: Sometimes two adjectives assimilate to the same sound before ございます.

くろい -oi	→	くろう -oo	black
くらい -ai	→	くろう -oo	dark

11. The particle が at the end of a sentence softens an expression to add politeness.

12. でしょうか is a softer expression than ですか or ますか.

13. けっこう meansいい. It has a variety of usages as follows:

はい，けっこうです。	Yes, it's all right.
けっこうな　おあじです。	It's delicious (good).
いいえ，けっこうです。	No, thank you.

14. よろしい also means いい. When asking for permission, よろしいis used. In a positive response to such a request, けっこうis more polite than よろしい.

この　ほんを　おかり　しても　よろしいでしょうか。

May I borrow this book?

はい，よろしいです。　はい，けっこうです。
Yes, you may.　　Yes, all right.

15. 〜した　とおり = as 〜

16. 〜　どころか〜 = 〜 but on the contrary 〜

17. おせわに　なって　いる expresses gratitude for someone's help.

18. Aが　Bの　くちに　あう = B likes A (referring to food)

19. さすがに = as expected

20. おことばに　あまえて = accepting your offer of kindness

21. わざわざ = just for, especially for

22. 〜の　ついでに　〜する = on the occasion of 〜, has a chance to do 〜

23. できるだけ〜 = as 〜 as possible

24. いつの　まにか = didn't notice that

25. こそ is a particle used for emphasis.

26. させて　いただく is a very polite expression for する, literally meaning "do something with your permission."

せつめいさせて　いただきます　=　せつめいします

27. With some honorific or humble verbs, the り sound changes to い before ます.

いらっしゃる　いらっしゃり　ます　→　いらっしゃい　ます
なさる　なさり　ます　→　なさい　ます
おっしゃる　おっしゃり　ます　→　おっしゃい　ます
くださる　くださり　ます　→　ください　ます
ござる　ござり　ます　→　ござい　ます

けいご　どうしの　ひょう
The Chart of Honorific Verbs

	meaning	そんけいの　どうし honorific verbs showing respect	けんそんの　どうし honorific verbs showing humility
ある	be	———	ござる
いる	be, stay	いらっしゃる	おる
〃		おいでに　なる	
いく	go	いらっしゃる	まいる
〃		おいでに　なる	
くる	come	いらっしゃる	まいる
〃		おいでに　なる	
する	do	なさる	いたす
たずねる	visit, ask	*	*うかがう
きく	hear, ask	*	*うかがう
いう	say, tell	おっしゃる	もうす
たべる	eat	めしあがる	いただく
のむ	drink	*めしあがる	いただく
あげる	give	*	さしあげる
くれる	give	くださる	———
もらう	receive	*	いただく
おもう	think	*	ぞんじる
しって　いる	know	ごぞんじで　いらっしゃる	ぞんじて　おる
みる	see	ごらんに　なる	はいけんする
かりる	borrow	*	*はいしゃくする
みせる	show	*	*おめに　かける
〃			ごらんに　いれる
あう	meet	*	*おめに　かかる
ねる	go to bed	おやすみに　なる	———
きる	wear	おめしに　なる	———
		*「お～に　なる」form can be used.	*「お～　する」form can be used.

れんしゅう　もんだい　　Exercises

A. つぎの　ぶんの　なかの　いちだんどうしは　うけみ、かのう、そんけいの　どの　いみで　つかわれて　いますか。

Are the *ichi-dan* verbs in the following sentences passive, potential or honorific?

1. この　まどは　こわれて　いて　あけられません。
2. その　かたは　となりの　いすに　かけられました。
3. わたくしは　その　かたに　なまえを　たずねられました。
4. その　かたは　もう　でかけられました。
5. だれにも　みられないで　この　たてものに　はいりました。
6. あまり　つかれたので　しちじに　おきられませんでした。

B. つぎの　ことがらを　もっと　ていねいに　いいなさい。

Change the following sentences into the honorific form.

1. あなたは　あした　うちに　いますか。
2. わたくしが　せんせいに　でんわを　かけましょう。
3. わたくしは　あなたが　いった　とおりに　しました。
4. あなたから　もらった　まんねんひつを　だいじに　つかって　います。
5. あなたは　その　かたを　しって　いるでしょう。
6. これを　みて　ください。
7. いっしゅうかん　その　ほんを　かりたいと　おもいます。
8. ごはんを　たべてから　あなたの　うちに　いきます。
9. あなたは　なんじごろ　ねますか。
10. おさけを　のみますか。
11. ははは　すぐ　ここに　きますから　ちょっと　まって　ください。
12. あなたに　みせたい　ものが　あります。
13. ときどき　じぶんで　りょうりを　しますか。
14. この　てがみを　よんで　くれませんか。

C. つぎの　ぶんを　「ございます-たい」に　なおしなさい。

Change the following sentences into the *gozaimasu*-style.

1. あかいです。
2. へたです。
3. きれいです。
4. にぎやかです。
5. うれしいです。
6. あおいです。

学びやすい日本語 第二巻

一九八二年十一月一日　初版発行
一九八四年　九月一日　第二版発行
一九八九年　九月一日　第三版発行

著者　竹内博子

発行　株式会社　凡人社
東京都千代田区麹町六丁目二番地
麹町ニュー弥彦ビル　二階
〒102　Tel　〇三(四七二)二二四〇

目次

イラスト　坂東弘之
カバーデザイン　田村有昭

第十五課　季節と気候

一年には四つの季節があります。春と夏と秋と冬です。冬は寒くて春は暖かいです。夏は暑くて秋は涼しいです。

春になると桜の花が咲きます。花が咲くと町の人は郊外に遊びに行きます。けれども農家の人は田や畑の仕事で忙しくなります。

六月はつゆの季節です。つゆに入ると空は曇ってよく雨が降ります。このころは蒸し暑くて食べ物が腐ったりいろいろな物にかびが生えたりします。つゆが終ると日が照って暑くなります。大勢の人が、夏、海で泳いだり山に登ったりします。

九月は台風の季節です。台風が来ると強い風が吹き、激しい雨が降ってうちが壊れたり川の水があふれたりします。台風の季節が過ぎると天気はよくなります。秋は涼しくて一番気候のいい時です。けれども田舎では稲の取り入れで一番忙しい時です。

冬が近づくと木の葉が色づいて山は美しくなります。冬になると北の方では雪が降り、湖の水が凍ります。南の方でも高い山は雪で真っ白になります。雪や氷は冷たいです。けれどもスキーやスケートの好きな人にとって冬は一年で一番楽しい季節です。

第十六課　新幹線

クラークさんは先月の半ばに家族を連れて静岡に行きました。朝早くうちの近くの停留所からバスに乗って東京駅に出ました。そして新幹線の窓口に行って切符を買いました。

クラーク「静岡まで『こだま』の特急券と乗車券をください。」

駅　員「指定席ですか。」

クラーク「はい。」

駅　員「何時の『こだま』ですか。」

クラーク「八時二十分発に間に合いますか。」

駅　員「じゅうぶん間に合いますが、指定席は売り切れです。」

クラーク「では自由席をください。大人二枚と子供一枚

です。」

クラークさんの男の子は今年から小学校です。幼稚園の時はただでしたが、今は切符が要ります。けれども子供の切符は大人の半額（半分の値段）です。

みんな改札口を通って中に入りました。クラークさんはそこで駅員に尋ねました。

クラーク「八時二十分発の新大阪行きの『こだま』はどのホームから出ますか。」

駅　員「十六番線からです。その階段を上がってください。」

階段を上がると列車はもうそのホームに止まっていました。クラークさんたちが乗ると間もなく戸が閉まり、『こだま』は静かに発車しました。クラークさんは日本語の本を持って来ていて、新幹線の中で勉強しました。

新幹線はとても速いです。東京から静岡まで急行は三時間ぐらいかかりますが、『こだま』は一時間半で着きます。『ひかり』はもっと速いです。東京から大阪まで、『こだま』は四時間半かかりますが『ひかり』は三時間十分で着きます。けれども静岡には止まりませんから静岡に行くのには不便です。飛行機は新幹線より速いです。けれども空港まで行くのに時間がかかりますから新幹線の方が便利です。

第十七課　見　物

木村さんはクラークさんの友達で静岡に住んでいます。クラークさんたちが新幹線で静岡に着いた時、木村さんは駅に迎えに来ていました。そして車でいろいろな所へクラークさんたちを案内しました。

初めに有名な古い神社と寺を見てから、町はずれの丘の上に登りました。その丘の上からは静岡の町がすっかり見えました。いい天気でしたから、富士山もよく見えました。木村さんは

「お弁当を持って来ましたから、景色を眺めながら食べましょう。」

と言いました。みんなは大喜びでそこでお弁当をごちそうになりました。静かな気持のいい所で、時々珍しい鳥の声が聞こえました。

木村さんは

「静岡は気候のいい所ですから、いろいろな産物があります。中でもお茶やみかんやいちごは有名です。」

と説明しました。クラークさんは木村さんに

「隣への土産にお茶が欲しいです。いちごも買いたいです。いい店を教えてください。」

と頼みました。丘を下りてから、木村さんはクラークさんたちを町の店に案内しました。

　クラークさんたちの買物が済むと木村さんは

「のどが渇きましたね。いちごが食べたくはありませんか。」

と言いました。そしてクラークさんたちを自分のうちへ連れて行って、いちごをごちそうしました。とてもおいしくて新鮮ないちごでしたからみんなは大喜びでした。

　夕方クラークさんたちが帰る時、木村さんは駅まで送りに来ました。クラークさんたちは

「今日はとても楽しい一日でした。本当にありがとうございました。」

とお礼を言いました。木村さんは

「どうぞまた遊びに来てください。」

と言って、クラークさんたちと握手をしました。新幹線が発車する時、クラークさんたちは窓の外の木村さんにおじぎをしました。木村さんはホームでいつまでも手を振っていました。

第十八課　大山さんと小川さん

隣の部屋で大山さんと小川さんが話しています。

大山さんは立っていますが、小川さんはいすに腰掛けています。

大山さんは背が低くて太っていますが、小川さんは背が高くてやせています。

大山さんは眼鏡を掛けていませんが、小川さんは眼鏡を掛けています。

大山さんは四十才ぐらいで、若いですが頭がはげています。小川さんは大山さんより少し年を取っていますが、はげていません。

大山さんはしまのワイシャツと茶色の背広を着て、茶色の靴をはいています。小川さんはグレーのセーターを着て紺のズボンをはいています。

大山さんは手にかばんを持っていますが、小川さんは何も持っていません。

大山さんはよく帽子をかぶりますが、小川さんはめったにかぶりません。

大山さんは派手なネクタイが好きですが、小川さんは

地味なネクタイが好きです。
大山さんはよく冗談を言いますが、小川さんはいつもまじめです。
二人は全然似ていませんが、仲のいい友達で、同じ工場で働いています。

大山さんと小川さんの特徴は似ていますか、似ていませんか。
大山さんと小川さんの性質は同じですか、違いますか。
二人の趣味はどうですか。

第十九課　隣同士

ジョンソンさんは私のうちの隣に住んでいて、私の家族とは六年前からのつきあいです。ジョンソンさんは初めは日本語ができませんでしたが、今はなかなか上手になりました。奥さんも御主人と同じぐらい上手です。
ジョンソンさんのお嬢さんは今年十六で妹と同い年です。妹と仲のいい友達で、よくうちに遊びに来ますが、日本語がとても上手です。御主人も奥さんもお嬢さんほど上手に話すことはできません。ジョンソンさんのお嬢さんは古い切手をたくさん集めています。妹が時々日本の切手をあげるとても喜びます。ジョンソンさんのお嬢さんはよくアメリカの切手を妹にくれます。この間妹はとてもきれいな珍しい切手をもらいました。
ジョンソンさんたちは熱心に日本語を勉強しています。そしてよく私の所へ難しい漢字の読み方を尋ねに来ます。私はすぐ読んであげます。そして意味も説明してあげます。ジョンソンさんはいつも
「日本語ほど難しい言葉はありません。」
と言います。けれども私にとっては英語の方がずっと難しいです。私も時々ジョンソンさんに英語の発音や意味を尋ねます。ジョンソンさんはいつも親切に教えてくれます。
ジョンソンさんの奥さんは料理がとても上手で、よくおいしいアメリカの料理や菓子をごちそうしてくれます。母と姉はよくその作り方を教えてもらいます。そして時々日本料理の作り方を教えてあげます。ジョンソンさんの奥さんは今ではすき焼きや天ぷらが上手です。
ジョンソンさんたちと私たちは教えあったり助けあったりして、いい隣同士です。

第二十課　急な用事

土曜日の昼ごろ山田さんがうちに帰って来ると、玄関の戸が閉まっていました。かぎがかかっていて開きませんでしたから、ベルを押しましたが、だれも出て来ません。仕方がありませんからポケットからかぎを出して戸を開けました。

台所に行くと昼御飯の支度が出来ていました。テーブルの上には皿や茶わんが並べてありました。そして花瓶の下に紙が置いてありました。その紙には奥さんの字で「急な用事が出来ましたから郵便局に行って来ます。すぐ帰ります。」と書いてありました。

間もなく奥さんは郵便局から帰って来ました。そして御主人に言いました。

「遅くなってすみません。出かける前に昼御飯の支度をしておきましたから、すぐ食べましょう。」

普通の手紙を出す時は封筒に切手をはってポストに入れます。封筒の表にはあて名を書きます。裏には自分の名前と住所を書きます。便せんや封筒や絵はがきは文房具屋で売っていますが、切手やはがきは郵便局で買います。

手紙や小包は急ぐ時郵便局に行って速達にします。大切な物は書留にします。手紙や小包の料金は重さによって違います。外国に出す時は距離によっても違います。船便は安いですが時間がかかります。航空便は速いですがお金がかかります。普通の郵便局は日曜と祭日は休みです。土曜は昼までです。

第二十一課　旅行の相談

ある日スミスさんの所へ山本君が旅行の相談に来ました。

山　本「今度の週末に一緒にどこかへ旅行しませんか。」

スミス「それは楽しいでしょう。どこへ行きましょうか。」

山　本「スミスさんは日光へ行ったことがありますか。」

スミス「いいえ、日光へはまだ行ったことがありません。どんな所ですか。」

山　本「山や湖や滝があって景色のいい所です。秋は特にもみじがきれいです。また東照宮という有名な神社も

あります。」
スミス「そうですか。ぜひ行ってみたいですね。東京から遠いですか。」
山　本「いいえ、そんなに遠くはありません。浅草から特急電車で一時間四十分で着きます。」
スミス「では日帰りができますね。」
山　本「できますけれども、ゆっくり見物するためには一泊する方がいいと思います。」
スミス「私はまだ日本の旅館に泊まったことがありません。一度畳の部屋で布団に寝てみたいです。」
山　本「では日本式の旅館を予約しましょう。洋式のホテルより面白いでしょう。」
スミス「もみじにはまだ早いかもしれませんね。」
山　本「日光は寒い所ですから冬が早く来ます。毎年十月の初めから半ばごろまでがもみじの季節ですから、今が一番きれいな時だと思います。」
スミス「電車はこむでしょうね。」
山　本「ええ、きっとこむに違いありません。特急の指定席を取っておきましょう。」
スミス「今度の週末のは、もしかしたら無いかもしれませんね。」
山　本「今日は火曜日ですから、多分まだあるだろうと思います。早速旅行社に電話してみましょう。」
スミス「よろしくお願いします。」

第二十二課　日光の話

先週の週末にスミスさんは山本君と日光へ行ったそうです。電車はこんでいたけれども、特急の指定席を買っておいたから楽だったそうです。天気もよかったし、ちょうどもみじの季節だったので、景色はすばらしかったそうです。スミスさんは何枚も写真を撮ったそうです。

タクシーで山を登る時、急な坂が多くて驚いたそうです。湖にはボートがあったけれども、寒かったから乗らなかったそうです。きれいな滝を幾つも見たそうです。初めの滝は大きくて、立派だったそうです。二番目のは岩がたくさんあって、とてもきれいだったそうです。三番目のは山の奥にあって、静かだったそうです。

旅館ではゆっくり温泉に入ったそうです。日本料理はなかなかおいしかったそうです。そして畳の部屋と布団はとても気持がよかったそうです。

次の日は東照宮を見物したそうです。建物はきれいだし古い歴史があるので面白かったそうです。
スミスさんは春休みには京都に旅行したいそうです。また山本君が一緒に行って案内してくれるそうです。二人は奈良にも行くかもしれないそうです。奈良は山本君のふるさとだそうです。昔は静かないい所だったけれども、だんだん人口が増え、観光客も多くなって、もう昔ほど静かではないそうです。

第二十三課　銀座での買物

私は昨日銀座に買物に行きました。
地下鉄の銀座駅で降りて、まず背広を買うためにデパートに入りました。注文の服は高いので、既製服を買うことにしました。既製服の売場に行ってみると、いろいろな背広が並んでいました。色のいいのがありましたが、触ってみると生地がよくありませんでした。生地のいいのもありましたが、色が派手すぎたり地味すぎたりしました。色も生地も気に入ったのがありましたが、着てみると寸法が小さすぎました。やっとちょうどよさそうなのを見つけてそれに決めました。お金を払う時店員に
「届けてくれますか。」
と尋ねると、店員は
「はい、かしこまりました。この紙にお名前と御住所と電話番号をどうぞ。」
と言って、紙とボールペンを渡しました。私がその紙に書き込んでお金を払うと、店員は受取をくれました。
それから下着の売場に行って、木綿のシャツを二枚とナイロンの靴下を三足買いました。麻のハンカチも半ダース買いました。とてもいい柄の絹のネクタイがありましたが、高すぎたので買うのをやめました。そしてウールの無地のふだんのネクタイを買いました。
デパートの外に出ると空は曇っていて今にも雨が降りそうでした。急いで駅に行く途中、用事を思い出して本屋に寄りました。けれどもそこには私が探している本は無さそうでしたから、もう一軒別の本屋に行ってみました。そこで本を探しているうちに、雨が降り出しました。やっと見つけた本を買って本屋を出ましたが、雨はやみそうもありませんでしたから、傘屋に駆け込んで傘を買うことにしました。ビニールの傘はすぐ壊れそうでしたから、ナイロンの丈夫そうなのを買いました。

レストランの前を通るとおいしそうな料理のにおいがしました。私はおなかがすいていたのを思い出して、レストランに入ることにしました。買物にお金を使いすぎたので、安い料理にしました。そして食事をしてからうちに帰りました。

第二十四課　医者に行く

私は先週の金曜日に風邪をひきました。その前の日、雨が降るのに傘をささないで歩いたり、寒いのに駅で三十分も友達を待ったりしたからでしょう。金曜日の朝起きた時のどが痛かったけれども、大したことはないと思って学校へ行きました。ところが、教えているうちに寒気がして気分が悪くなってきました。授業が済んでから熱を計ってみると、三十八度五分もありました。頭も痛いし吐き気もするので、すぐ家に帰ることにしました。

帰りにうちの近くの医者の所に寄って見てもらうと、医者は

「ああ、のどが真っ赤ですよ。これじゃ苦しいでしょう。今注射をしてあげましょう。注射をすれば楽になりますからね。」

と言って、注射をしてくれました。それから薬をくれる時次のような注意をしました。

「カプセルの薬は二個ずつ四時間おきに飲んでください。これを飲めば、熱が下がります。のどが痛ければ、このドロップを口に入れてください。かまないでなめる方がいいです。せきが出る時も、これをなめれば止まります。今度の風邪はおなかにも来ますから、気を付けてください。食欲があれば、消化のいい物を食べてください。食欲があっても、消化の悪い物は食べないでください。もし食欲が無ければ、この粉薬を飲んでください。食欲が無くても、心配はいりません。熱が下がれば、食欲が出てきます。熱が下がっても、二、三日は静かに寝ている方がいいです。」

「はい、わかりました。あまり気分が悪かったのでほかの病気かもしれないと思って心配しましたが、おかげさまで安心しました。ただの風邪ならすぐ治りますね。」

「ただの風邪でも大事にする方がいいですよ。『風邪は万病のもと』と言いますからね。早く治せばすぐ治りますが、無理をすればなかなか治りません。どうぞお大事に。」

「どうもありがとうございました。」

《仮定文の問答》―「ば」と「ても」の使い方―

「注射をすれば、どうなりますか。」
「楽になります。」
「カプセルの薬を飲めば、どうなりますか。」
「熱が下がります。」
「のどが痛ければ、どうしますか。」
「ドロップを口に入れます。」
「食欲があれば、何でも食べる方がいいですか。」
「いいえ、食欲があっても、消化の悪い物は食べない方がいいです。」
「熱が下がれば、起きて出かける方がいいですか。」
「いいえ、熱が下がっても、二、三日は静かに寝ている方がいいです。」
「ただの風邪なら、すぐ治りますか。」
「ただの風邪でも、無理をすればなかなか治りません。」
「病気が治っても、出かけない方がいいですか。」
「病気が治れば、出かけてもいいです。」

第二十五課　交通規則

日本では車は道の左側を走り、人は右側を歩くことになっています。歩道があればもちろんどちら側を歩いてもかまいませんが、車道を歩いてはいけません。

大きい交差点には大抵信号があります。信号が青なら交差点を渡ってもいいですが、赤なら渡ってはいけません。広い道路を渡る時は、横断歩道か歩道橋を渡らなければなりません。歩道橋があれば、信号を待たなくてもいいです。

車を運転する時は免許証がいります。免許を取るためには、交通規則の試験を受けなければなりません。酒を飲んだ時や疲れていて眠い時、運転してはいけません。酔っぱらい運転や居眠り運転は大きい事故を起こします。スピードを出しすぎれば、とても危険です。無理に追い越したり急に曲がったりすれば危ないです。狭い道路や交通の激しい道路に車を止めれば邪魔になります。

駐車場に駐車する時は大抵料金が要りますが、無料の駐車場もあります。高速道路は大抵有料です。料金所で

料金を払わなければなりません。交通規則に違反すれば罰金を払わなければなりません。

毎年交通事故で大勢の人が死んだりけがをしたりします。車を運転する時は規則をよく守り、じゅうぶん気を付けて、安全な運転をしましょう。年寄りや子供には特に注意することが必要です。

《禁止と許可、義務と任意の問答》

「日本では自動車は道の右側を走ってもいいですか。」
「いいえ、右側を走ってはいけません。左側を走らなければなりません。」
「歩道があっても、人は道の右側を歩かなければなりませんか。」
「いいえ、歩道があれば、どちら側を歩いてもかまいません。」
「信号が青でも、交差点を渡ってはいけませんか。」
「いいえ、信号が青なら、交差点を渡ってもいいです。」
「歩道橋があっても、信号を待たなければなりませんか。」
「いいえ、歩道橋があれば、信号を待たなくてもいいです。」
「眠い時運転してもいいですか。」
「いいえ、眠い時運転してはいけません。」
「交差点に駐車してはいけませんか。」
「はい、交差点に駐車してはいけません。」
「駐車場に駐車してもいいですか。」
「はい、駐車してもいいです。けれども大抵料金を払わなければなりません。」
「高速道路を通る時は、料金を払わなければなりませんか。」
「はい、大抵払わなければなりません。」
「車を運転しなければ、交通規則を守らなくてもいいですか。」
「いいえ、車を運転しなくても、守らなければなりません。」
「年寄りや子供もみんな守らなければなりませんか。」
「はい、みんな守らなければなりません。」

第二十六課　歌舞伎への招待

昨日は祭日で学校は休みでしたから、スミスさんは朝

早く起きて鎌倉の美術館に展覧会を見に行くつもりでした。けれども前の晩遅くまで本を読んで起きていたので、なかなか目が覚めませんでした。

顔を洗って時計を見ると、もう九時でしたが、まだ眠いのでコーヒーを飲もうと思って台所に行きました。ところが昨日全部使ってしまったので、コーヒーの缶は空でした。仕方がないのでコーヒーのかわりに紅茶をいれました。そしてパンを二切れ切って、焼いてバターを付けて食べました。いちごのジャムが食べたかったので、新しいびんを開けようとしましたが、ふたが堅くてなかなか開きませんでした。とうとうあきらめて、いちごのジャムのかわりにママレードを付けました。

朝御飯を食べたところに山本君がやって来ました。

山　本「やあ、スミスさん、今、朝御飯を食べているところですか。」

スミス「いや、もう食べてしまって、これから出かけるところです。」

山　本「えっ、どこへ出かけるつもりですか。」

スミス「鎌倉へ展覧会を見に行こうと思っています。一緒にどうですか。」

山　本「ああ、その展覧会は僕も見たいです。でも、それは今日でなければいけませんか。」

スミス「いや、今日でなくてもかまいません。展覧会は来週までやっていますから、次の休日でも大丈夫です。」

山　本「じゃあスミスさん、今日は一緒に歌舞伎を見に行きませんか。切符が二枚あるのです。両親が行くつもりで買っておいたのですが、急に用事が出来てだめになったので、僕にくれたのです。」

スミス「本当ですか。じゃあ、今日は美術館に行くかわりに歌舞伎を見ることにしましょう。前からぜひ一度見たいと思っていたのです。何時からですか。」

山　本「国立劇場で十一時からです。すぐ行けば間に合います。」

スミス「ふだんの洋服のままでもかまいませんか。」

山　本「かまいませんとも。」

スミス「じゃあこのまま出かけましょう。あ、慌ててスリッパを履いたまま出かけるところでした。靴に履き替えますから待ってください。」

山　本「あははは、時間はまだじゅうぶんありますよ。」

第二十七課　ばらの家と侍屋敷

クラークさんのうちは郊外の住宅地にあります。建物は洋式で暖房と冷房の設備があります。

玄関を入ると広い居間があって食堂が続いています。台所は明かるくて清潔でいつもきちんと片付いています。ガス台や調理台や流しはステンレスで出来ていて、ぴかぴか光っています。ステンレスはさびにくくて長く持ちます。クラークさんの奥さんはきれい好きなので、やかんやなべもよく磨いてあります。戸棚には皿や茶わんがしまってあります。冷蔵庫には食べ物が入れてあります。棚には調味料がたくさん置いてあります。調味料は料理の味や香りを付けるのに使います。ふろ場ばかりでなく洗面所や台所にも熱いお湯が出るのでとても便利です。二階には寝室と子供部屋があります。そして二階にも手洗いがあります。

庭には芝生の周りに花壇があって、季節によっていろいろな花が咲きます。垣根にはばらがたくさん植えてあって、ばらの季節には庭中いい香りがします。クラークさんのうちは近所の人たちから「ばらの家」と呼ばれています。

クラークさんの隣のうちは古い屋敷で、建物も庭も純日本式です。

座敷には床の間があって、掛け軸が掛けてあり、置物が置いてあります。違い棚にも立派な塗物や焼物が飾ってあります。縁側の方に障子があり茶の間との間にふすまがあります。障子やふすまは紙で出来ていますから破れやすいですがきれいです。茶の間にはこたつと火鉢があって、いつも鉄瓶にお湯がしゅんしゅんと音をたてて沸いています。

このうちの奥さんはお茶好きで、よくお茶を飲みます。そして、いつもきちんと着物を着て帯を締め、白い足袋を履いています。出かける時は草履かげたを履きます。このうちは「侍屋敷」と言われています。蔵の中には、今でも刀ややりやよろいやかぶとがあるそうです。

第二十八課　泥棒の話

この間山田さんのうちに泥棒が入りました。

その日は奥さんも御主人も一緒に出かけていて留守でした。夕方山田さんたちが帰って来てみるとうちの様子が変でした。寝室の窓は閉まっているはずでしたが開いていました。そしてガラスが壊れていました。玄関の戸もかぎがかかっているはずでしたが開いていました。床も掃除したばかりできれいなはずでしたが泥で汚れていました。

「大変だ。泥棒だ。」

山田さんは慌てて警察に電話をしました。間もなくお巡りさんが来てうちのあちらこちらを調べました。泥棒は寝室の窓ガラスを壊して入り、玄関のかぎを中から開けて出て行ったようです。戸棚やたんすの引き出しを開けて探したらしいですが、現金が無かったので、何も盗まなかったようです。宝石や銀行の通帳や印鑑はそのまま無事でした。

結局山田さんたちは泥棒に入られましたが、窓ガラスを割られ、床を汚されただけで、何も盗まれませんでした。けれども引き出しを開けられたり、中の物を触られたり、うちの中を靴のまま歩かれたりしたので、嫌な気持でした。山田さんたちはこれからは泥棒に入られないようによく気を付けようと思いました。

第二十九課　道の尋ね方

クラークさんは教会の牧師です。キリスト教の宣教師として日本に来てからもうすぐ十年になります。来たばかりの時は日本語が少しもわかりませんでしたから友達に通訳してもらわなければなりませんでしたが、今では上手に話せるようになりました。反対にクラークさんがほかの人のために通訳してあげることもあります。

クラークさんの日本語は発音もアクセントも日本人のようです。クラークさんは日本語の新聞も読めますし日本語の手紙も書けます。すき焼きや天ぷらをはじめ日本料理が大好きになり、すしでも刺身でも何でも食べられるようになりました。はしも初めはなかなかうまく使えませんでしたが、今はナイフとフォークより便利だと思うようになりました。

東京の町にもだいぶ慣れて、複雑な電車の乗り換えにも詳しくなりました。アメリカの町はわかりやすくて、初めて行くうちでも地図さえあれば迷いませんが、東京の町はわかりにくくて困りました。けれども日本語が話

せるようになってからは、交番でお巡りさんに尋ねればすぐ教えてくれますからちっとも困りません。例えばこんなふうに尋ねます。

「あのう、ちょっと伺いますが、五丁目八番地の山田さんのお宅はどの辺でしょうか。」

するとお巡りさんは

「ああ、山田さんは、その道をまっすぐ行って次の四つ角を右に曲がって、すぐの狭い道を左に入って突き当たりのうちです。白い石の塀で青い屋根ですから、すぐわかるでしょう。」

というふうに教えてくれます。

クラークさんは今ではもう日本の生活にすっかり慣れました。クラークさんの坊ちゃんは日本の小学校に行っています。坊ちゃんはクラークさんよりもっと日本語が上手です。日本人のような発音で日本人のように話します。

第三十課　子供の育て方

良子ちゃんと正雄ちゃんはきょうだいです。

良子ちゃんはもうすぐ幼稚園に入るので、洋服を着たり脱いだりすることも手を洗って御飯を食べることも自分でできます。

正雄ちゃんはまだ小さいので自分でできませんから、お母さんが起こしたり、寝かせたり、洋服を着せたり、脱がせたり、牛乳を飲ませたり、御飯を食べさせたりしてやります。一人で部屋の中を歩くことはできますがよく転びます。けれども正雄ちゃんは元気のいい子ですから、転んでもめったに泣きません。いつもにこにこ笑っています。

良子ちゃんは優しいお姉さんで、弟をよくかわいがります。弟がおもちゃを欲しがれば貸してやります。一緒に遊びたがれば遊んでやります。弟がおもちゃを壊しても怒らないで許してやります。良子ちゃんはおとなしくて我慢強い子です。悲しい時も大抵泣かないで我慢します。

両親は子供たちに優しいですが、うそをついたり、けんかをしたり、悪いことをした時にはしかります。お母さんの手伝いをしたり、人に親切なことをしたり、いいことをした時には褒めてやります。そして子供たちがいつまでも親に頼らないで、早く独立心を持つように望ん

でいます。勉強しろと言われなければ勉強しないような人間でなく、やれと言われなくても自分で考えてやるような人間になるように望んでいます。

第三十一課　運の悪い日

今日はスミスさんにとって運の悪い日でした。

まず夕べ目覚まし時計をかけておくのを忘れたのでうっかり朝寝坊をしてしまったのです。慌てて跳び起きて朝御飯も食べずにうちを出ました。いつもの電車に間に合うかどうかわかりませんでしたが、とにかく駅まで走って行きました。

駅に着くとあいにく電車はちょうど出てしまったところでしたから、次の電車まで七分も待たなければなりませんでした。タクシーで行こうかどうしようかと迷いましたが、道がこめばタクシーの方が時間がかかるかもしれないと思ってやめました。駅で七分待つならもっとゆっくり歩いて来ればよかったと思いました。

やっと次の電車が来たのでそれに乗りましたが、その電車は次の駅で故障して動かなくなりました。仕方がないのでスミスさんは駅の外に出てタクシーを拾いました。道は割合にすいていましたから、これなら初めからタクシーに乗ればよかったと思いました。でもそれからではどんなに急いでも間に合いません。スミスさんはとうとう学校に遅刻してしまいました。

また学校では急に漢字の試験があって、先週習った漢字を全部書かせられました。スミスさんは正しいかどうかわかりませんでしたが、とにかく書いてみました。あとで調べてみるとスミスさんの書いた漢字はほとんど全部間違っていましたから、スミスさんはとても恥ずかしくなりました。今日試験があるなら昨日よく練習しておけばよかったと思いました。

次の時間に先生は生徒たちに一人ずつ黒板の前に来て日本語で短い話をするように言いました。スミスさんも黒板の前に行かせられて話をさせられましたが、うまく話せませんでした。

それから先生は生徒たちに宿題を見せるように言いました。スミスさんは夕べちゃんとやっておいたのですが今朝あまり慌てたので持って来るのを忘れました。わけを話して謝ると、先生はあした必ず持って来るように言って許してくれました。

第三十二課　夕食に招待されて（訪問）

ある日山本君がスミスさんに招待の電話をかけてきました。山本君はいつもと違って特別丁寧な言葉で言いました。

「今度の土曜日にうちにいらっしゃってくださいませんか。両親が夕食を差し上げたいと申しておりますが。」

そこでスミスさんも習ったばかりの敬語を一生懸命使って答えました。

「ありがとうございます。喜んで伺います。」

土曜日の夕方、スミスさんは約束したとおり山本君のうちを訪問しました。

「ごめんください。」

「よくいらっしゃいました。さあ、どうぞお上がりください。」

「ではお邪魔致します。」

「座布団をお敷きください。どうぞお楽に。」

「ありがとうございます。」

すぐお母さんも出て来ました。

「いらっしゃいませ、スミスさん。しばらくお目にかかりませんでしたが、お元気でいらっしゃいますか。」

「はい、おかげさまで元気でおります。」

やがてお父さんも来ました。

「やあ、スミスさんでいらっしゃいますか。はじめまして。いつも息子がお世話になっております。」

「はじめまして。スミスでございます。こちらこそいつも日本のことをいろいろ教えていただいて感謝しております。」

お母さんがお茶とお菓子を持って来てすすめました。

「さあ、おひとつどうぞ。日本のお茶を飲まれるでしょうか。」

「大好物でございます。喜んでいただきます。」

山本君がアルバムを出して来て言いました。

「アルバムを御覧になりますか。前に京都で撮った写真をお目にかけましょう。」

「ぜひ拝見させてください。」

山本君がアルバムを見せているうちにお母さんの手料理の夕飯の支度が出来ました。

「何もございませんが、どうぞ召し上がってくださいませ。」

とお母さんは言いましたが、何も無いどころかテーブルの上はごちそうでいっぱいでしたから、スミスさんはびっくりして、

「なぜ『何もございませんが』とおっしゃったのでしょうか。」

と尋ねました。山本君は笑って

「これは食事をすすめる時のあいさつのようなものなのです。『お口に合う物は何もございませんが』という意味です。」

と説明しました。

にぎやかに食事が始まりました。どの料理もとてもおいしいのでスミスさんが

「どれも大変結構なお味でございます。」

と褒めると、お母さんは言いました。

「お世辞がお上手でいらっしゃいますね。」

「お世辞でなく、本当においしゅうございます。」

「そうでございますか。お気に召してようございました。御飯のおかわりを致しましょう。」

「どうぞお願い致します。」

スミスさんは遠慮なくおかわりをもらいました。三杯目の時はさすがにおなかがいっぱいになって

「ありがとうございますが、もう結構でございます。」

と断りました。

食事が済んでから、お父さんは日本の古い美術の本を見せてくれました。スミスさんが熱心に見ているとお父さんは

「もしよろしければお貸ししましょう。英語の説明もございますからゆっくりお読みになりませんか。」

と言いました。スミスさんは美術が好きなのでとても喜びました。

「では、お言葉に甘えて一週間ほどお借りしてもよろしいでしょうか。来週必ずお返しに伺いますが。」

「わざわざでなく、おついでの時で結構でございますよ。」

「ありがとうございます。大切な御本を長く拝借致しますと気がかりですので、できるだけ早くお返ししたいと存じます。」

いつの間にかもう十時を過ぎていたのでスミスさんはお礼を言って立ち上がりました。

「今日は本当にありがとうございました。」

「こちらこそ楽しゅうございました。またどうぞ遊びにいらっしゃってくださいませ。」

「はい。また伺わせていただきます。」

「外は暗うございますからお気を付けて。」
「ありがとうございます。では失礼致します。おやすみなさい。」